COLLECTION
FOLIO THÉÂTRE

# Beaumarchais

# Le Barbier de Séville

OU

## La Précaution inutile

*Édition présentée et annotée par*
*Françoise Bagot et Michel Kail*

Gallimard

# PRÉFACE

L'auteur d'une œuvre, dramatique ou autre, n'est sans doute pas son meilleur juge, mais, lorsqu'il s'agit de percer les intentions qui ont présidé à sa création, il n'est pas le plus mal placé pour les faire connaître. C'est en quoi la Lettre modérée sur la chute et la critique du *Barbier de Séville*, que Beaumarchais écrit en guise de préface à l'édition de sa pièce, est précieuse. Sa lecture ne laisse aucun doute : Beaumarchais avait le projet, en écrivant Le Barbier de Séville, de produire « une comédie fort gaie ». Il insiste : « une production légère », « une Pièce amusante et sans fatigue, une espèce d'imbroille », ou encore « une bagatelle ». Il faut bien convenir qu'il y est parvenu, et se rendre à sa propre appréciation : « Le Barbier est une des pièces les plus gaies qui soit au théâtre. »

Quels moyens Beaumarchais se donne-t-il pour répondre à de telles intentions ?

D'abord, une situation simple et convenue, qui ne manquera pas de se dérouler selon un mode linéaire. Beaumarchais en résume fort bien le prétexte : « Un vieillard amoureux prétend épouser demain sa Pupille ; un jeune Amant plus adroit le prévient, et ce jour même en fait sa femme, à la barbe et dans la maison du Tuteur. » Les personnages sont si nettement caractérisés dans la typologie théâtrale qu'il est inutile d'en approfondir la psychologie. Ce sont des marionnettes dont le sort est entièrement entre les mains de l'auteur. Pour les seuls besoins d'une action alerte, qui ne retombe pas immédiatement, Beaumarchais a imaginé un tuteur point trop sot, qui ne s'en laisse pas conter, et un « machiniste » qui, « au lieu d'être un noir scélérat, fut un drôle de garçon, un homme insouciant, qui rit également du succès et de la chute de ses entreprises ». Tels sont, respectivement, Bartholo, soupçonneux et vigilant, et Figaro, d'une franche gaieté et de grande efficacité, organisateur de l'intrigue.

Ensuite, une théâtralité manifeste, explicite, revendiquée; ce que René Pomeau nomme l'«illusion scénique». Dans Le Barbier, *Beaumarchais rappelle constamment au spectateur qu'il est au théâtre. Aussi met-il en scène une Espagne caricaturale, schématique, irréelle, qui n'est symbolisée que par quelques traits : la guitare, les fenêtres grillées, des noms de personnages comme Almaviva, Figaro, Bartholo... Ce n'est rien d'autre, cela se veut et s'avoue une espagnolade. Aux critiques qui dénonçaient le manque de réalisme de la pièce, Beaumarchais a répondu avec une ironie cinglante : «Des Connaisseurs ont remarqué que j'étais tombé dans l'inconvénient de faire critiquer des usages français par un Plaisant de Séville à Séville, tandis que la vraisemblance exigeait qu'il s'étayât sur les mœurs Espagnoles. Ils ont raison; j'y avais tellement pensé que, pour rendre la vraisemblance encore plus parfaite, j'avais d'abord résolu d'écrire et de faire jouer la Pièce en langage espagnol, mais un homme de goût m'a fait observer qu'elle en perdrait peut-être un peu de sa gaieté pour le public de Paris, raison qui m'a déterminé à l'écrire en français.»*

Une volonté de théâtralisation aussi affirmée ne peut emprunter que les moyens de la simplicité pour laisser se dérouler l'action et n'a que faire d'invraisemblances, qui ne deviendraient des fautes que pour qui adopterait un point de vue réaliste. Le relevé en a souvent été fait (voir René Pomeau, Beaumarchais ou la Bizarre Destinée, *p. 104-106*).

*Dans la scène 15 du deuxième acte, Bartholo s'absente fort opportunément pour aller fermer la porte et permettre ainsi à Rosine de substituer la lettre de son cousin l'Officier à celle de Lindor. Comment un Bartholo, intelligent et soucieux de tout contrôler, peut-il faciliter à ce point la tâche de Rosine, alors qu'il vient de la harceler pour qu'elle avoue avoir reçu une lettre de Lindor ? C'est que la préoccupation de Beaumarchais n'est nullement le réalisme psychologique des personnages mais le mouvement d'une action qui n'a pas épuisé ses ressorts comiques. Comment un Bartholo, soupçonneux de nature, ne reconnaît-il pas le même personnage sous les déguisements successifs de l'Officier ivre et d'Alonzo ? L'action qui, encore une fois, dicte toute la logique de l'écriture de la pièce exige que le Comte pénètre dans la maison de Bartholo et entre en relation avec Rosine, en la présence du maître de céans, une première fois (acte II, scène 14) pour lui remettre sa lettre, une deuxième fois (acte III, scène 4) pour que Rosine et le Comte partagent, enfin, leur amour, par chanson interposée et quelques baisers échangés furtivement, puisque Bartholo a la bonté de s'endormir au bon moment. Nul ne doute que, lorsque Bazile surgit, tel un diable, le Comte, qui s'est fait passer pour son élève venu le remplacer au pied levé, va être découvert. Il n'en est rien. La fameuse « scène de stupéfaction » (acte III, scène 11), selon l'expression même de Beaumarchais, permet à Almaviva de se tirer de ce mauvais pas. Dans cette scène à la fois invraisemblable et époustouflante, le procédé de théâtralité pure atteint un sommet. Jacques Scherer, dans* La Dramaturgie de Beaumarchais *(p. 257-270), en a proposé une analyse serrée et éclairante, dont nous retiendrons la conclusion : « Les contemporains ont donc eu raison de souligner l'importance et la réussite exceptionnelles de cette scène. Pour lui rendre complète justice, il aurait d'ailleurs fallu ne pas en limiter l'étude à l'analyse sèchement fonctionnelle que nous avons tenté d'en proposer. Il aurait fallu en rendre sensible une valeur quasi poétique, y trouver ce que M. Giudici relève dans l'ensemble de la comédie, un scintillement du style qui est à la fois cause et effet, dans le temps de la création, d'un climat, d'une atmosphère, d'un sens tout imaginaire (l'italien dit ici avec une merveilleuse expressivité, "fiabesco"), idéal et musical, dans lequel les contours opaques de la réalité perdent leur valeur…* » À la scène suivante, c'est au tour des amants de se laisser stupidement surprendre par Bartholo, qui s'est glissé derrière eux. Ils avaient toutes les raisons de se méfier d'une intervention du tuteur, qui avait consenti, en rechignant, à se faire raser par Figaro. À tout le moins, Bartholo aurait pu, sinon dû, les surprendre à tout autre moment plus propice. Mais cela permet à Beaumarchais d'achever l'acte sur l'éclat de colère de Bartholo, la réaction du Comte et de Figaro : « Il est fou, il est fou… » et l'interrogation inquiète du tuteur sur l'état de son esprit : « Ne suis-je pas en train de devenir fou ? » On pourrait se demander aussi, avec René Pomeau, « quand Figaro trouve le temps de faire la barbe à ses clients qui attendent dans sa boutique. Vaines questions, puisque le spectateur ne songe pas à se les poser. Emportées dans le mouvement du dialogue, les invraisemblances ne paraissent pas ». La théâtralisation emphatique du Barbier n'a que faire des nécessités du réalisme.

Dans cette perspective, il faut souligner le rôle des chansons dans la pièce. Au tout début, dans la scène 2 de l'acte *I*, Figaro, qui est lui-même en train de composer, fournit la clef permettant de comprendre le statut du chant dans la structure de la pièce : « Aujourd'hui, ce qui ne vaut pas la peine d'être dit, on le chante. » Sans interpréter abusivement, nous pouvons comprendre « ce qui ne vaut pas la peine d'être dit » comme « ce qui ne peut pas être dit ». En d'autres termes, les chansons ne sont pas pur divertissement, mais participent pleinement au mouvement de l'intrigue. Sans doute, la chanson de Figaro déjà signalée et celle du Comte en officier ivre, Vive le vin, ne font pas décisivement avancer l'action : la première, d'une part, marque le caractère bon vivant de Figaro, qui hésite entre le vin et la paresse pour

*finalement choisir de ne pas choisir, et, d'autre part, sonne
à la manière d'un art poétique qui délivre les règles de fabri-
cation des chansons et leur secret ;* la seconde est l'effet nor-
mal de l'ivresse : un homme ivre chante, et, de plus, chante
le bon vin. En revanche, la chanson de Lindor, au cours
de la scène 6 de l'acte I, permet au Comte de se présenter à
Rosine sous l'identité d'un simple bachelier de commune
naissance et de lui avouer son amour éternel, même privé
d'espoir, tandis que la réponse chantée par Rosine sur l'air
de Maître en droit, *bien vite interrompue par la fermeture
de la croisée,* le rassure sur la réciprocité du sentiment qu'il
éprouve. L'intervention intempestive de Bartholo soucieux
de couper court à ce dialogue chanté en indique assez l'importance. Ce qui ne peut être dit, il faut se donner la peine
de le chanter ; d'abord parce que le chant permet d'exprimer
mieux la chaleur du sentiment amoureux, ensuite parce
qu'il surmonte plus aisément la distance qui sépare, enfin
parce qu'il permet de communiquer en dépit des oreilles hos-
tiles. C'est à la première et à la dernière condition que répond
la leçon de chant que le Comte en Alonzo donne à Rosine,
dans la scène 4 de l'acte III : une leçon de chant qui se trans-
forme en duo d'amour, sous les yeux, qui se ferment progres-
sivement, de Bartholo. Ce qui permet de relever une vertu
supplémentaire du chant : il endort Bartholo, à un moment
fort bien venu pour le développement de l'intrigue. Il n'est
pas jusqu'à Bartholo qui ne s'essaie au chant, dans la même
scène. Lui aussi chante son amour, mais à l'ancienne,
comme il sied à un rébarbatif du progrès, sur «des choses
plus gaies que toutes ces grandes arias» :*

«Je ne suis point Tircis ;
Mais dans la nuit, dans l'ombre,
Je vaux encor mon prix ;
Et quand il fait sombre,
Les plus beaux chats sont gris. »

Avec la distance qu'il introduit, accentuée par le recours à un air traditionnel, le chant donne à Bartholo l'audace d'exprimer son désir amoureux, avec une lucidité dépourvue d'amertume. Bartholo sait qui il est et ne s'illusionne pas.

Est-il juste de confiner Le Barbier à ce formalisme comique ?

Certes, l'intention est ferme, réfléchie et préside impérativement à l'écriture de la pièce. Ayant dégagé ce qu'il appelle le « fond », Beaumarchais reconnaît que le caractère conventionnel de ce dernier lui permet de relever de n'importe quel genre : la comédie, la tragédie, le drame ou l'opéra. Un fond d'une grande plasticité, en somme, indifférent à son traitement formel. D'où le soin empressé que Beaumarchais apporte à la mécanique formelle du Barbier, fort du principe qu'il énonce lui-même dans la Lettre modérée : « Le genre d'une pièce, comme celui de toute action, dépend moins du fond des choses que des caractères qu'ils mettent en œuvre. » Le fond n'est qu'occasion, la forme seule fait l'œuvre.

On pourrait être tenté de lui objecter, à lui qui se dit maître absolu de sa forme, ainsi qu'à tous les analystes de la pièce qui le suivent volontiers dans cette voie, qu'une œuvre de qualité déborde toujours l'intention de son auteur, que l'omnipotence de son créateur n'est pas infaillible. Et d'ajouter que c'est même cela qui en signe la valeur.

Mais si on suit cette logique, on est amené à procéder au relevé scrupuleux de tous les moments de l'intrigue où le fond ne s'ajuste pas strictement à la forme, à l'image de ces critiques, contemporains de Beaumarchais, qui lui reprochaient d'avoir négligemment semé des invraisemblances tout au long de sa pièce et dont nous avons vu quel sort il convient de leur réserver. Revendication réaliste ! En matière de plaisanterie, il importe peu que l'histoire soit vraie, il suffit qu'elle soit bonne.

Ainsi, qui prétend éclairer la lecture du Barbier et en dégager le sens doit d'abord se ranger à la volonté de son *auteur et reconnaître que la forme est le tout de l'œuvre. Dès lors, c'est seulement dans l'agencement formel qu'on pourra repérer ce qui est de l'ordre de l'involontaire. Quelque chose déborde, en effet, le projet comique de Beaumarchais : sa forme n'est pas seulement brillante, elle est porteuse d'une économie qui ne peut admettre que le désir réciproque des deux jeunes premiers, Almaviva et Rosine, nobles, riches et beaux. Le désir du vieux tuteur, qui n'a que la ressource de la possession et de l'accumulation pour être, n'entre pas dans cette organisation, car possession et accumulation, par la logique de l'appropriation insatiable, ouvrent une faille dans l'infaillible. C'est Argus-Bartholo contre Argus-Beaumarchais, ouverture contre fermeture. Le formalisme de la pièce n'autorise pas cette turbulence et finit par la réduire, la châtier.*

*Dans son formalisme comique, la pièce laisse échapper une leçon sociale et politique inattendue. Qui a le droit de désirer et de jouir ? C'est celui qui possède déjà, et qui a tout loisir de se consacrer à la jouissance. Il y a donc une Aristocratie de l'Amour. Et le formalisme prétendument bénin du* Barbier *entérine un ordre social dans lequel seule la noblesse a droit de jouissance. Du coup, ces fameuses piques contre les nobles, que tout le monde se plaît à noter dans la bouche de Figaro, sont pour le moins amères. Ce sont celles d'un Figaro qui trahit sa condition de barbier et s'installe à jamais dans la servitude (voir* La Mère coupable*). Et si Beaumarchais est Figaro, la seule revendication qu'il exprime, c'est d'être admis auprès des grands.*

*C'est pourquoi le caractère de Bartholo, qui échappe aux archétypes et à la machinerie de Beaumarchais, est exagérément noirci. Il faut l'éliminer pour que la mécanique puisse se faire nature. Celle-ci se rétablit alors dans tous ses droits : Rosine et le Comte s'épousent.*

# Le Barbier de Séville

OU

## La Précaution inutile

COMÉDIE EN QUATRE ACTES
EN PROSE

*Et j'étais père, et je ne pus mourir !*[1]

ZAÏRE, acte II.

# LETTRE MODÉRÉE[2]

## SUR LA CHUTE ET LA CRITIQUE DU
### *BARBIER DE SÉVILLE*

*L'auteur, vêtu modestement et courbé,
présentant sa pièce au lecteur*

MONSIEUR,

J'ai l'honneur de vous offrir un nouvel Opuscule de ma façon. Je souhaite vous rencontrer dans un de ces moments heureux où, dégagé de soins, content de votre santé, de vos affaires, de votre Maîtresse, de votre dîner, de votre estomac, vous puissiez vous plaire un moment à la lecture de mon *Barbier de Séville*, car il faut tout cela pour être homme amusable et Lecteur indulgent.

Mais si quelque accident a dérangé votre santé, si votre état est compromis, si votre Belle a forfait à ses serments, si votre dîner fut mauvais ou votre digestion laborieuse, ah! laissez mon *Barbier*[3]; ce n'est pas là l'instant; examinez l'état de vos dépenses, étudiez le *Factum* de votre Adversaire, relisez ce traître billet surpris à Rose, ou parcourez les chefs-d'œuvre de Tissot[4] sur la tempérance, et faites des réflexions politiques, économiques, diététiques, philosophiques ou morales.

Ou si votre état est tel qu'il vous faille absolument l'oublier, enfoncez-vous dans une bergère, ouvrez le Journal établi dans Bouillon avec Encyclopédie, Approbation et Privilège[5], et dormez vite une heure ou deux.

Quel charme aurait une production légère au milieu des plus noires vapeurs, et que vous importe, en effet, si Figaro le Barbier s'est bien moqué de Bartholo le Médecin en aidant un Rival à lui souffler sa Maîtresse? On rit peu de la gaieté d'autrui, quand on a de l'humeur pour son propre compte.

Que vous fait encore si ce Barbier Espagnol, en arrivant dans Paris, essuya quelques traverses, et si la prohibition de ses exercices a donné trop d'importance aux rêveries de mon bonnet?

On ne s'intéresse guère aux affaires des autres que lorsqu'on est sans inquiétude sur les siennes.

Mais enfin tout va-t-il bien pour vous? Avez-vous à souhait double estomac, bon Cuisinier, Maîtresse honnête et repos imperturbable? Ah! parlons, parlons; donnez audience à mon *Barbier.*

Je sens trop, Monsieur, que ce n'est plus le temps où, tenant mon manuscrit en réserve, et semblable à la Coquette qui refuse souvent ce qu'elle brûle toujours d'accorder, j'en faisais quelque avare lecture à des Gens préférés, qui croyaient devoir payer ma complaisance par un éloge pompeux de mon Ouvrage.

Ô jours heureux! Le lieu, le temps, l'auditoire à ma dévotion et la magie d'une lecture adroite assurant mon succès, je glissais sur le morceau faible en appuyant les bons endroits; puis, recueillant les suffrages du coin de l'œil avec une orgueilleuse modestie, je jouissais d'un triomphe d'autant plus doux que le jeu d'un fripon d'Acteur ne m'en dérobait pas les trois quarts pour son compte.

Que reste-t-il, hélas! de toute cette gibecière? À l'instant qu'il faudrait des miracles pour vous subjuguer, quand la verge de Moïse[6] y suffirait à peine, je n'ai plus même la ressource du bâton de Jacob[7]; plus d'escamotage, de tricherie, de coquetterie, d'inflexions de voix, d'illusion théâtrale, rien. C'est ma vertu toute nue que vous allez juger.

Ne trouvez donc pas étrange, Monsieur, si, mesurant mon style à ma situation, je ne fais pas comme ces Écrivains qui se donnent le ton de vous appeler négligemment *Lecteur, ami Lecteur, cher Lecteur, benin* ou *benoît Lecteur,* ou de telle autre dénomination cavalière, je dirais même indécente, par laquelle ces imprudents essayent de se mettre au pair avec leur Juge, et qui ne fait bien souvent que leur en attirer l'animadversion[8]. J'ai toujours vu que les airs ne séduisaient personne, et que le ton modeste d'un Auteur pouvait seul inspirer un peu d'indulgence à son fier Lecteur.

Eh! quel Écrivain en eut jamais plus besoin que moi? Je voudrais le cacher en vain. J'eus la faiblesse autrefois, Monsieur, de vous présenter, en différents temps, deux tristes Drames[9], productions monstrueuses, comme on sait, car entre la Tragédie et la Comédie on n'ignore plus qu'il n'existe rien; c'est un point décidé, le Maître l'a dit, l'École en retentit, et pour moi, j'en suis tellement convaincu, que si je voulais aujourd'hui mettre au Théâtre une mère éplorée, une épouse trahie, une sœur éperdue, un fils déshérité, pour les présenter décemment au Public, je commencerais par leur supposer un beau Royaume où ils auraient régné de leur mieux, vers l'un des Archipels ou dans tel autre coin du monde ; certain, après cela, que l'invraisemblance du roman, l'énormité des faits, l'enflure des caractères, le gigantesque des idées et la bouffissure du langage, loin de m'être imputés à reproche, assureraient encore mon succès.

Présenter des hommes d'une condition moyenne, accablés et dans le malheur, fi donc ! On ne doit jamais les montrer que bafoués. Les Citoyens ridicules et les Rois malheureux, voilà tout le Théâtre existant et possible, et je me le tiens pour dit ; c'est fait, je ne veux plus quereller avec personne.

J'ai donc eu la faiblesse autrefois, Monsieur, de faire des Drames qui n'étaient pas *du bon genre*, et je m'en repens beaucoup.

Pressé depuis par les événements, j'ai hasardé de malheureux Mémoires[10], que mes ennemis n'ont pas trouvés *du bon style*, et j'en ai le remords cruel.

Aujourd'hui, je fais glisser sous vos yeux une Comédie fort gaie, que certains Maîtres de goût n'estiment pas *du bon ton*, et je ne m'en console point.

Peut-être un jour oserai-je affliger votre oreille d'un Opéra[11], dont les jeunes gens d'autrefois diront que la musique n'est pas *du bon français*, et j'en suis tout honteux d'avance.

Ainsi, de fautes en pardons et d'erreurs en excuses, je passerai ma vie à mériter votre indulgence, par la bonne foi naïve avec laquelle je reconnaitrai les unes en vous présentant les autres.

Quant au *Barbier de Séville*, ce n'est pas pour corrompre votre jugement que je prends ici le ton respectueux : mais on m'a fort assuré que, lorsqu'un Auteur était sorti, quoique échiné, vainqueur au Théâtre, il ne lui manquait plus que d'être agréé par vous, Monsieur, et lacéré dans quelques Journaux, pour avoir obtenu tous les lauriers littéraires. Ma gloire est donc certaine si vous daignez m'accorder le laurier de votre agrément, persuadé que plusieurs de Messieurs les Journalistes ne me refuseront pas celui de leur dénigrement.

Déjà l'un d'eux, établi dans Bouillon avec Approbation et Privilège, m'a fait l'honneur encyclopédique d'assurer à ses Abonnés que ma pièce était sans plan, sans unité, sans caractères, vide d'intrigue et dénuée de comique.

Un autre[12], plus naïf encore, à la vérité sans Approbation, sans Privilège et même sans Encyclopédie, après un candide exposé de mon Drame, ajoute au laurier de sa critique cet éloge flatteur de ma personne : « La réputation du sieur de Beaumarchais est bien tombée, et les honnêtes gens sont enfin convaincus que lorsqu'on lui aura arraché les plumes du paon, il ne restera plus qu'un vilain corbeau noir, avec son effronterie et sa voracité. »

Puisqu'en effet j'ai eu l'effronterie de faire la Comédie du *Barbier de Séville*, pour remplir l'horoscope[13] entier, je pousserai la voracité jusqu'à vous prier humblement, Monsieur, de me juger vous-même, et sans égard aux Critiques passés, présents et futurs ; car vous savez que, par état, les Gens de Feuilles[14] sont souvent ennemis des Gens de Lettres ; j'aurai même la voracité de vous prévenir qu'étant saisi de mon affaire, il faut que vous soyez mon Juge absolument, soit que vous le vouliez ou non, car vous êtes mon Lecteur.

Et vous sentez bien, Monsieur, que si, pour éviter ce tracas ou me prouver que je raisonne mal, vous refusiez constamment de me lire, vous feriez vous-même une pétition de principes au-dessous de vos lumières : n'étant pas mon Lecteur, vous ne seriez pas celui à qui s'adresse ma requête.

Que si, par dépit de la dépendance où je parais vous mettre, vous vous avisiez de jeter le Livre en cet instant de votre lecture, c'est, Monsieur, comme si, au milieu de tout autre jugement, vous étiez enlevé du Tribunal par la mort, ou tel accident qui vous rayât du nombre des Magistrats. Vous ne pouvez éviter de me juger qu'en devenant nul, négatif, anéanti, qu'en cessant d'exister en qualité de mon lecteur.

Eh ! quel tort vous fais-je en vous élevant au-dessus de moi ? Après le bonheur de commander aux hommes, le plus grand honneur, Monsieur, n'est-il pas de les juger ?

Voilà donc qui est arrangé. Je ne reconnais plus d'autre Juge que vous, sans excepter Messieurs les Spectateurs, qui, ne jugeant qu'en premier ressort, voient souvent leur sentence infirmée à votre Tribunal.

L'affaire avait d'abord été plaidée devant eux au Théâtre, et ces Messieurs ayant beaucoup ri, j'ai pu penser que j'avais gagné ma Cause à l'Audience. Point du tout ; le Journaliste, établi dans Bouillon, prétend que c'est de moi qu'on a ri. Mais ce n'est là, Monsieur, comme on dit en style de Palais, qu'une mauvaise chicane de Procureur : mon but ayant été d'amuser les Spectateurs, qu'ils aient ri de ma Pièce ou de moi, s'ils ont ri de bon cœur, le but est également rempli, ce que j'appelle avoir gagné ma Cause à l'Audience.

Le même Journaliste assure encore, ou du moins laisse entendre, que j'ai voulu gagner quelques-uns de ces Messieurs en leur faisant des lectures particulières, en achetant d'avance leur suffrage par cette prédilection. Mais ce n'est encore là, Monsieur, qu'une difficulté de Publiciste allemand. Il est manifeste que mon intention n'a jamais été que de les instruire ; c'étaient des espèces de Consultations que je faisais sur le fond de l'affaire. Que si les Consultants, après avoir donné leur avis, se sont mêlés parmi les Juges, vous voyez bien, Monsieur, que je n'y pouvais rien de ma part, et que c'était à eux de se récuser par délicatesse, s'ils se sentaient de la partialité pour mon Barbier Andalou.

Eh ! plût au Ciel qu'ils en eussent un peu conservé pour ce jeune Étranger, nous aurions eu moins de peine à soutenir notre malheur éphémère. Tels sont les hommes : avez-vous du succès, ils vous accueillent, vous portent, vous caressent, ils s'honorent de vous ; mais gardez de broncher : au moindre échec, ô mes amis, souvenez-vous qu'il n'est plus d'amis.

Et c'est précisément ce qui nous arriva le lendemain de la plus triste soirée. Vous eussiez vu les faibles amis du Barbier se disperser, se cacher le visage ou s'enfuir ; les femmes, toujours si braves quand elles protègent, enfoncées dans les coqueluchons jusqu'aux panaches[15] et baissant des yeux confus ; les hommes courant se visiter, se faire amende honorable du bien qu'ils avaient dit de ma Pièce, et rejetant sur ma maudite façon de lire les choses tout le faux plaisir qu'ils y avaient goûté. C'était une désertion totale, une vraie désolation.

Les uns lorgnaient à gauche en me sentant passer à droite, et ne faisaient plus semblant de me voir : Ah Dieux ! D'autres, plus courageux, mais s'assurant bien si personne ne les regardait, m'attiraient dans un coin pour me dire : « Eh ! comment avezvous produit en nous cette illusion ? car il faut en convenir, mon Ami, votre Pièce est la plus grande platitude du monde.

— Hélas ! Messieurs, j'ai lu ma platitude, en vérité, toute platement comme je l'avais faite ; mais, au nom de la bonté que vous avez de me parler encore après ma chute et pour l'honneur de votre second jugement, ne souffrez pas qu'on redonne la Pièce au Théâtre ; si, par malheur, on venait à la jouer comme je l'ai lue, on vous ferait peut-être une nouvelle tromperie, et vous vous en prendriez à moi de ne plus savoir quel jour vous eûtes raison ou tort; ce qu'à Dieu ne plaise! »

On ne m'en crut point, on laissa rejouer la Pièce, et pour le coup je fus prophète en mon pays. Ce pauvre Figaro, *fessé* par la cabale *en faux-bourdon*[16] et presque enterré le vendredi, ne fit point comme Candide, il prit courage, et mon Héros se releva le dimanche, avec une vigueur que l'austérité d'un carême entier et la fatigue de dix-sept séances publiques n'ont pas encore altérée. Mais qui sait combien cela durera? Je ne voudrais pas jurer qu'il en fût seulement question dans cinq ou six siècles, tant notre Nation est inconstante et légère!

Les Ouvrages de Théâtre, Monsieur, sont comme les enfants des femmes : conçus avec volupté, menés à terme avec fatigue, enfantés avec douleur et vivant rarement assez pour payer les parents de leurs soins, ils coûtent plus de chagrins qu'ils ne donnent de plaisirs. Suivez-les dans leur carrière, à peine ils voient le jour que, sous prétexte d'enflure, on leur applique les Censeurs; plusieurs en sont restés en chartre[17]. Au lieu de jouer doucement avec eux, le cruel Parterre les rudoie et les fait tomber. Souvent en les berçant, le Comédien les estropie. Les perdez-vous un instant de vue, on les retrouve, hélas! traînant partout, mais dépenaillés, défigurés, rongés d'Extraits et couverts de Critiques. Échappés à tant de maux, s'ils brillent un moment dans le monde, le plus grand de tous les atteint, le mortel oubli les tue; ils meurent, et, replongés au néant, les voilà perdus à jamais dans l'immensité des Livres.

Je demandais à quelqu'un pourquoi ces combats, cette guerre animée entre le Parterre et l'Auteur, à la première représentation des Ouvrages, même de ceux qui devaient plaire un autre jour. «Ignorez-vous, me dit-il, que Sophocle et le vieux Denys sont morts de joie d'avoir remporté le prix des Vers au Théâtre? Nous aimons trop nos Auteurs pour souffrir qu'un excès de joie nous prive d'eux en les étouffant; aussi, pour les conserver, avons-nous grand soin que leur triomphe ne soit jamais si pur, qu'ils puissent en expirer de plaisir. »

Quoi qu'il en soit des motifs de cette rigueur, l'enfant de mes loisirs, ce jeune, cet innocent *Barbier*, tant dédaigné le premier jour, loin d'abuser le surlendemain de son triomphe ou de montrer de l'humeur à ses Critiques, ne s'en est que plus empressé de les désarmer par l'enjouement de son caractère.

Exemple rare et frappant, Monsieur, dans un siècle d'Ergotisme[18] où l'on calcule tout jusqu'au rire, où la plus légère diversité d'opinions fait germer des haines éternelles, où tous les jeux tournent en guerre, où l'injure qui repousse l'injure est à son tour payée par l'injure, jusqu'à ce qu'une autre effaçant cette dernière en enfante une nouvelle, auteur de plusieurs autres, et propage ainsi l'aigreur à l'infini, depuis le rire jusqu'à la satiété, jusqu'au dégoût, à l'indignation même du Lecteur le plus caustique.

Quant à moi, Monsieur, s'il est vrai, comme on l'a dit, que tous les hommes soient frères, et c'est une belle idée, je voudrais qu'on pût engager nos frères les Gens de Lettres à laisser, en discutant, le ton rogue et tranchant à nos frères les Libellistes, qui s'en acquittent si bien ; ainsi que les injures à nos frères les Plaideurs... qui ne s'en acquittent pas mal non plus. Je voudrais surtout qu'on pût engager nos frères les Journalistes à renoncer à ce ton pédagogue et magistral avec lequel ils gourmandent les Fils d'Apollon et font rire la sottise aux dépens de l'esprit.

Ouvrez un Journal, ne semble-t-il pas voir un dur Répétiteur, la férule ou la verge levée sur des Écoliers négligents, les traiter en esclaves au plus léger défaut dans le devoir ? Eh ! mes Frères, il s'agit bien de devoir ici, la Littérature en est le délassement et la douce récréation.

À mon égard au moins, n'espérez pas asservir dans ses jeux mon esprit à la règle, il est incorrigible, et, la classe du devoir une fois fermée, il devient si léger et badin que je ne puis que jouer avec lui. Comme un liège emplumé qui bondit sur la raquette, il s'élève, il retombe, égaye mes yeux, repart en l'air, y fait la roue et revient encore. Si quelque Joueur adroit veut entrer en partie et ballotter à nous deux le léger volant de mes pensées, de tout mon cœur ; s'il riposte avec grâce et légèreté, le jeu m'amuse et la partie s'engage. Alors on pourrait voir les coups portés, parés, reçus, rendus, accélérés, pressés, relevés même, avec une prestesse, une agilité propre à réjouir autant les spectateurs qu'elle animerait les acteurs.

Telle, au moins, Monsieur, devrait être la Critique, et c'est ainsi que j'ai toujours conçu la dispute entre les Gens polis qui cultivent les Lettres.

Voyons, je vous prie, si le Journaliste de Bouillon a conservé dans sa critique ce caractère aimable et surtout de candeur pour lequel on vient de faire des vœux.

« La Pièce est une Farce », dit-il.

Passons sur les qualités. Le méchant nom qu'un Cuisinier

étranger donne aux ragoûts français ne change rien à leur saveur. C'est en passant par ses mains qu'ils se dénaturent. Analysons la Farce de Bouillon.

« La Pièce, a-t-il dit, n'a pas de plan. »

Est-ce parce qu'il est trop simple qu'il échappe à la sagacité de ce Critique adolescent ?

Un Vieillard amoureux prétend épouser demain sa Pupille ; un jeune Amant plus adroit le prévient, et ce jour même en fait sa femme, à la barbe et dans la maison du Tuteur. Voilà le fond, dont on eût pu faire, avec un égal succès, une Tragédie, une Comédie, un Drame, un Opéra, *et cætera*. *L'Avare* de Molière est-il autre chose ? Le grand *Mithridate* est-il autre chose ? Le genre d'une pièce, comme celui de toute action, dépend moins du fond des choses que des caractères qui les mettent en œuvre.

Quant à moi, ne voulant faire, sur ce plan, qu'une Pièce amusante et sans fatigue, une espèce d'*imbroille*[19], il m'a suffi que le Machiniste, au lieu d'être un noir scélérat, fût un drôle de garçon, un homme insouciant, qui rit également du succès et de la chute de ses entreprises, pour que l'Ouvrage, loin de tourner en Drame sérieux, devînt une Comédie fort gaie ; et de cela seul que le Tuteur est un peu moins sot que tous ceux qu'on trompe au Théâtre, il a résulté beaucoup de mouvement dans la Pièce, et surtout la nécessité d'y donner plus de ressort aux intrigants.

Au lieu de rester dans ma simplicité comique, si j'avais voulu compliquer, étendre et tourmenter mon plan à la manière tragique ou *dramique*[20], imagine-t-on que j'aurais manqué de moyens dans une aventure dont je n'ai mis en Scènes que la partie la moins merveilleuse ?

En effet, personne aujourd'hui n'ignore qu'à l'époque historique où la pièce finit gaiement dans mes mains, la querelle commença sérieusement à s'échauffer, comme qui dirait derrière la toile, entre le Docteur et Figaro, sur les cent écus. Des injures on en vint aux coups. Le Docteur, étrillé par Figaro, fit tomber en se débattant le *rescille*[21] ou filet qui coiffait le Barbier, et l'on vit, non sans surprise, une forme de spatule imprimée à chaud sur sa tête rasée. Suivez-moi, Monsieur, je vous prie.

À cet aspect, moulu de coups qu'il est, le Médecin s'écrie avec transport : « Mon fils ! ô Ciel, mon Fils ! mon cher Fils !... » Mais avant que Figaro l'entende, il a redoublé de horions sur son cher Père. En effet, ce l'était.

Ce Figaro, qui pour toute famille avait jadis connu sa mère, est fils naturel de Bartholo. Le Médecin, dans sa jeunesse, eut cet enfant d'une Personne en condition, que les suites de son imprudence firent passer du service au plus affreux abandon.

Mais avant de les quitter, le désolé Bartholo, Frater[22] alors, a fait rougir sa spatule, il en a timbré son fils à l'occiput, pour le reconnaître un jour, si jamais le sort les rassemble. La mère et l'enfant avaient passé six années dans une honorable mendicité, lorsqu'un Chef de Bohémiens, descendu de Luc Gauric[23], traversant l'Andalousie avec sa troupe, et consulté par la mère sur le destin de son fils, déroba l'Enfant furtivement, et laissa par écrit cet horoscope à sa place :

> *Après avoir versé le sang dont il est né,*
> *Ton fils assommera son Père infortuné :*
> *Puis, tournant sur lui-même et le fer et le crime,*
> *Il se frappe, et devient heureux et légitime*[24].

En changeant d'état sans le savoir, l'infortuné jeune homme a changé de nom sans le vouloir ; il s'est élevé sous celui de Figaro ; il a vécu. Sa mère est cette Marceline, devenue vieille et Gouvernante chez le Docteur, que l'affreux horoscope de son fils a consolé de sa perte. Mais aujourd'hui, tout s'accomplit.

En saignant Marceline au pied, comme on le voit dans ma Pièce, ou plutôt comme on ne l'y voit pas, Figaro remplit le premier Vers :

> *Après avoir versé le sang dont il est né.*

Quand il étrille innocemment le Docteur, après la toile tombée, il accomplit le second Vers :

> *Ton fils assommera son Père infortuné.*

À l'instant, la plus touchante reconnaissance a lieu entre le Médecin, la Vieille et Figaro : *c'est vous ! c'est lui ! c'est toi ! c'est moi !* Quel coup de théâtre ! Mais le fils, au désespoir de son innocente vivacité, fond en larmes et se donne un coup de rasoir, selon le sens du troisième Vers :

> *Puis, tournant sur lui-même et le fer et le crime,*
> *Il se frappe, et...*

Quel tableau ! En n'expliquant point si du rasoir il se coupe la gorge ou seulement le poil du visage, on voit que j'avais le choix de finir ma Pièce au plus grand pathétique. Enfin, le Docteur épouse la Vieille, et Figaro, suivant la dernière leçon...

> *... devient heureux et légitime.*

Quel dénouement ! Il ne m'en eût coûté qu'un sixième Acte. Et quel sixième Acte ! Jamais Tragédie au Théâtre Français... Il suffit. Reprenons ma Pièce en l'état où elle a été jouée et critiquée. Lorsqu'on me reproche avec aigreur ce que j'ai fait, ce n'est pas l'instant de louer ce que j'aurais pu faire.

«La Pièce est invraisemblable dans sa conduite», a dit encore le Journaliste établi dans Bouillon avec Approbation et Privilège.

Invraisemblable ! Examinons cela par plaisir.

Son Excellence M. le Comte Almaviva, dont j'ai depuis longtemps l'honneur d'être ami particulier, est un jeune Seigneur, ou pour mieux dire était, car l'âge et les grands emplois en ont fait depuis un homme fort grave, ainsi que je le suis devenu moi-même. Son Excellence était donc un jeune Seigneur espagnol, vif, ardent, comme tous les Amants de sa Nation, que l'on croit froide et qui n'est que paresseuse.

Il s'était mis secrètement à la poursuite d'une belle personne qu'il avait entrevue à Madrid et que son Tuteur a bientôt ramenée au lieu de sa naissance. Un matin qu'il se promenait sous ses fenêtres à Séville, où depuis huit jours il cherchait à s'en faire remarquer, le hasard conduisit au même endroit Figaro le Barbier. «Ah ! le hasard ! dira mon Critique, et si le hasard n'eût pas conduit ce jour-là le Barbier dans cet endroit, que devenait la Pièce ? — Elle eût commencé, mon Frère, à quelque autre époque. — Impossible, puisque le Tuteur, selon vous-même, épousait le lendemain. — Alors il n'y aurait pas eu de Pièce, ou, s'il y en avait eu, mon Frère, elle aurait été différente. Une chose est-elle invraisemblable, parce qu'elle était possible autrement ?»

Réellement, vous avez un peu d'humeur. Quand le Cardinal de Retz nous dit froidement : «Un jour j'avais besoin d'un homme ; à la vérité, je ne voulais qu'un fantôme ; j'aurais désiré qu'il fût petit-fils de Henri le Grand, qu'il eût de longs cheveux blonds; qu'il fût beau, bien fait, bien séditieux; qu'il eût le langage et l'amour des Halles : et voilà que le hasard me fait rencontrer à Paris M. de Beaufort, échappé de la prison du Roi; c'était justement l'homme qu'il me fallait.» Va-t-on dire au Coadjuteur : «Ah! le hasard! Mais si vous n'eussiez pas rencontré M. de Beaufort? Mais ceci, mais cela...»?

Le hasard donc conduisit en ce même endroit Figaro le Barbier, beau diseur, mauvais Poète, hardi Musicien, grand fringueneur[25] de guitare et jadis Valet de Chambre du Comte; établi dans Séville, y faisant avec succès des barbes, des Romances et des mariages, y maniant également le fer du Phlébotome[26] et le piston[27] du Pharmacien; la terreur des maris, la coqueluche des femmes, et justement l'homme qu'il nous fallait. Et comme, en toute recherche, ce qu'on nomme passion n'est autre chose qu'un désir irrité par la contradiction, le jeune Amant, qui n'eût peut-être eu qu'un goût de fantaisie pour cette beauté, s'il l'eût rencontrée dans le monde, en devient amoureux, parce qu'elle est enfermée, au point de faire l'impossible pour l'épouser.

Mais vous donner ici l'extrait entier de la Pièce, Monsieur, serait douter de la sagacité, de l'adresse avec laquelle vous saisirez le dessein de l'Auteur, et suivrez le fil de l'intrigue, en la lisant. Moins prévenu que le Journal de Bouillon, qui se trompe avec Approbation et Privilège sur toute la conduite de cette Pièce, vous verrez que *tous les soins de l'Amant* ne *sont* pas *destinés à remettre simplement une lettre*, qui n'est là qu'un léger accessoire à l'intrigue, mais bien à s'établir dans un fort, défendu par la vigilance et le soupçon, surtout à tromper un homme qui, sans cesse éventant la manœuvre, oblige l'ennemi de se retourner assez lestement pour n'être pas désarçonné d'emblée.

Et lorsque vous verrez que tout le mérite du dénouement consiste en ce que le Tuteur a fermé sa porte en donnant son passe-partout à Bazile, pour que lui seul et le Notaire pussent entrer et conclure son mariage, vous ne laisserez pas d'être étonné qu'un Critique aussi équitable se joue de la confiance de son Lecteur, ou se trompe au point d'écrire, et dans Bouillon encore : *Le Comte s'est donné la peine de monter au balcon par une échelle avec Figaro, quoique la porte ne soit pas fermée.*

Enfin, lorsque vous verrez le malheureux Tuteur, abusé par toutes les précautions qu'il prend pour ne le point être, à la fin forcé de signer au contrat du Comte et d'approuver ce qu'il n'a pu prévenir, vous laisserez au Critique à décider si ce Tuteur était un *imbécile* de ne pas deviner une intrigue dont on lui cachait tout, lorsque lui Critique, à qui l'on ne cachait rien, ne l'a pas devinée plus que le Tuteur.

En effet, s'il l'eût bien conçue, aurait-il manqué de louer tous les beaux endroits de l'Ouvrage?

Qu'il n'ait point remarqué la manière dont le premier Acte annonce et déploie avec gaieté tous les caractères de la Pièce, on peut lui pardonner.

Qu'il n'ait pas aperçu quelque peu de comédie dans la grande Scène du second Acte, où, malgré la défiance et la fureur du jaloux, la Pupille parvient à lui donner le change sur une lettre remise en sa présence, et à lui faire demander pardon à genoux du soupçon qu'il a montré, je le conçois encore aisément.

Qu'il n'ait pas dit un seul mot de la Scène de stupéfaction de Bazile au troisième Acte, qui a paru si neuve au Théâtre, et a tant réjoui les Spectateurs, je n'en suis point surpris du tout.

Passe encore qu'il n'ait pas entrevu l'embarras où l'auteur s'est jeté volontairement au dernier Acte, en faisant avouer par la Pupille à son Tuteur que le Comte avait dérobé la clef de la jalousie; et comment l'Auteur s'en démêle en deux mots, et sort en se jouant de la nouvelle inquiétude qu'il a imprimée aux Spectateurs. C'est peu de chose en vérité.

Je veux bien qu'il ne lui soit pas venu à l'esprit que la Pièce, une des plus gaies qui soient au Théâtre, est écrite sans la moindre équivoque, sans une pensée, un seul mot dont la pudeur, même des petites Loges[28], ait à s'alarmer, ce qui pourtant est bien quelque chose, Monsieur, dans un siècle où l'hypocrisie de la décence est poussée presque aussi loin que le relâchement des mœurs. Très volontiers. Tout cela sans doute pouvait n'être pas digne de l'attention d'un Critique aussi majeur.

Mais comment n'a-t-il pas admiré ce que tous les honnêtes gens n'ont pu voir sans répandre des larmes de tendresse et de plaisir? je veux dire, la piété filiale de ce bon Figaro, qui ne saurait oublier sa mère!

*Tu connais donc ce Tuteur?* lui dit le Comte au premier Acte. *Comme ma mère*, répond Figaro. Un avare aurait dit: *Comme mes poches*. Un Petit-Maître eût répondu: *Comme moi-même*. Un ambitieux: *Comme le chemin de Versailles*; et le journaliste de Bouillon: *Comme mon Libraire*: les comparaisons de chacun se tirant toujours de l'objet intéressant. *Comme ma mère,* a dit le fils tendre et respectueux.

Dans un autre endroit encore : *Ah ! vous êtes charmant !* lui dit le Tuteur. Et ce bon, cet honnête Garçon, qui pouvait gaiement assimiler cet éloge à tous ceux qu'il a reçus de ses Maîtresses, en revient toujours à sa bonne mère, et répond à ce mot : *Vous êtes charmant ! — Il est vrai, Monsieur, que ma mère me l'a dit autrefois.* Et le Journal de Bouillon ne relève point de pareils traits ! Il faut avoir le cerveau bien desséché pour ne pas les voir, ou le cœur bien dur pour ne pas les sentir !

Sans compter mille autres finesses de l'Art répandues à pleines mains dans cet Ouvrage. Par exemple, on sait que les Comédiens ont multiplié chez eux les emplois à l'infini : emplois de grande, moyenne et petite Amoureuse ; emplois de grands, moyens et petits Valets ; emplois de Niais, d'Important, de Croquant, de Paysan, de Tabellion, de Bailli ; mais on sait qu'ils n'ont pas encore appointé celui de Bâillant. Qu'a fait l'Auteur pour former un Comédien peu exercé au talent d'ouvrir largement la bouche au Théâtre ? Il s'est donné le soin de lui rassembler dans une seule phrase toutes les syllabes bâillantes du français : *Rien... qu'en... l'en... ten... dant... parler,* syllabes en effet qui feraient bâiller un mort, et parviendraient à desserrer les dents mêmes de l'envie !

En cet endroit admirable où, pressé par les reproches du Tuteur qui lui crie : *Que direz-vous à ce malheureux qui bâille et dort tout éveillé ? et l'autre qui depuis trois heures éternue à se faire sauter le crâne et jaillir la cervelle, que leur direz-vous ?* Le naïf Barbier répond : *Eh parbleu ! je dirai à celui qui éternue : Dieu vous bénisse ! et : Va te coucher, à celui qui bâille.* Réponse en effet si juste, si chrétienne et si admirable, qu'un de ces fiers Critiques, qui ont leurs entrées au Paradis, n'a pu s'empêcher de s'écrier : « Diable ! l'Auteur a dû rester au moins huit jours à trouver cette réplique ! »

Et le Journal de Bouillon, au lieu de louer ces beautés sans nombre, use encre et papier, Approbation et Privilège, à mettre un pareil Ouvrage au-dessous même de la Critique ! On me couperait le cou, Monsieur, que je ne saurais m'en taire.

N'a-t-il pas été jusqu'à dire, le cruel ! que, *pour ne pas voir expirer ce* Barbier *sur le Théâtre, il a fallu le mutiler, le changer, le refondre, l'élaguer, le réduire en quatre Actes et le purger d'un grand nombre de pasquinades, de calembours, de jeux de mots, en un mot, de bas comique.*

À le voir ainsi frapper comme un sourd, on juge assez qu'il n'a pas entendu le premier mot de l'Ouvrage qu'il décompose. Mais j'ai l'honneur d'assurer ce Journaliste, ainsi que le jeune homme qui lui taille ses plumes et ses morceaux, que, loin d'avoir purgé la Pièce d'aucun des *calembours, jeux de mots*, etc., qui lui eussent nui le premier jour, l'Auteur a fait rentrer dans les Actes restés au Théâtre tout ce qu'il en a pu reprendre à l'Acte au portefeuille[29] : tel un charpentier économe cherche, dans ses copeaux épars sur le chantier, tout ce qui peut servir à cheviller et boucher les moindres trous de son ouvrage.

Passerons-nous sous silence le reproche aigu qu'il fait à la jeune personne d'avoir tous *les défauts d'une fille mal élevée*? Il est vrai que, pour échapper aux conséquences d'une telle imputation, il tente à la rejeter sur autrui, comme s'il n'en était pas l'auteur, en employant cette expression banale : *On trouve à la jeune personne*, etc. On trouve!...

Que voulait-il donc qu'elle fît? Qu'au lieu de se prêter aux vues d'un jeune Amant très aimable et qui se trouve un homme de qualité, notre charmante enfant épousât le vieux podagre[30] Médecin? Le noble établissement qu'il lui destinait là! Et parce qu'on n'est pas de l'avis de Monsieur, on a *tous les défauts d'une fille mal élevée*!

En vérité, si le Journal de Bouillon se fait des amis en France par la justesse et la candeur de ses Critiques, il faut avouer qu'il en aura beaucoup moins au delà des Pyrénées, et qu'il est surtout un peu bien dur pour les Dames Espagnoles.

Eh! qui sait si son Excellence Madame la Comtesse Almaviva, l'exemple des femmes de son état et vivant comme un Ange avec son mari, quoiqu'elle ne l'aime plus[31], ne se ressentira pas un jour des libertés qu'on se donne à Bouillon, sur elle, avec Approbation et Privilège?

L'imprudent Journaliste a-t-il au moins réfléchi que son Excellence ayant, par le rang de son mari, le plus grand crédit dans les Bureaux, eût pu lui faire obtenir quelque pension sur la Gazette d'Espagne ou la Gazette elle-même, et que dans la carrière qu'il embrasse il faut garder plus de ménagements pour les femmes de qualité? Qu'est-ce que cela me fait à moi? L'on sent bien que c'est pour lui seul que j'en parle!

Il est temps de laisser cet adversaire, quoiqu'il soit à la tête des gens qui prétendent que, *n'ayant pu me soutenir en cinq Actes, je me suis mis en quatre pour ramener le Public*[32]. Eh! quand cela serait? Dans un moment d'oppression, ne vaut-il pas mieux sacrifier un cinquième de son bien que de le voir tout entier au pillage ?

Mais ne tombez pas, cher Lecteur... (Monsieur, veux-je dire), ne tombez pas, je vous prie, dans une erreur populaire qui ferait grand tort à votre jugement.

Ma Pièce, qui paraît n'être aujourd'hui qu'en quatre Actes, est réellement et de fait en cinq, qui sont le premier, le deuxième, le troisième, le quatrième et le cinquième, à l'ordinaire.

Il est vrai que, le jour du combat, voyant les Ennemis acharnés, le Parterre ondulant, agité, grondant au loin comme les flots de la mer, et trop certain que ces mugissements sourds, précurseurs des tempêtes, ont amené plus d'un naufrage, je vins à réfléchir que beaucoup de Pièces en cinq Actes (comme la mienne), toutes très bien faites d'ailleurs (comme la mienne), n'auraient pas été au diable en entier (comme la mienne), si l'Auteur eût pris un parti vigoureux (comme le mien).

« Le Dieu des cabales est irrité », dis-je aux Comédiens avec force :

> *Enfants ! un sacrifice est ici nécessaire.*

Alors, faisant la part au Diable et déchirant mon manuscrit : « Dieu des Siffleurs, Moucheurs, Cracheurs, Tousseurs et Perturbateurs, m'écriai-je, il te faut du sang ? Bois mon quatrième Acte et que ta fureur s'apaise ! »

À l'instant vous eussiez vu ce bruit infernal qui faisait pâlir et broncher les Acteurs, s'affaiblir, s'éloigner, s'anéantir, l'applaudissement lui succéder, et des bas-fonds du Parterre un *bravo* général s'élever, en circulant, jusqu'aux hauts bancs du Paradis.

De cet exposé, Monsieur, il suit que ma Pièce est restée en cinq Actes, qui sont le premier, le deuxième, le troisième au Théâtre, le quatrième au diable et le cinquième avec les trois premiers. Tel Auteur même vous soutiendra que ce quatrième Acte, qu'on n'y voit point, n'en est pas moins celui qui fait le plus de bien à la Pièce, en ce qu'on ne l'y voit point.

Laissons jaser le monde ; il me suffit d'avoir prouvé mon dire ; il me suffit, en faisant mes cinq Actes, d'avoir montré mon respect pour Aristote, Horace, Aubignac [33] et les Modernes, et d'avoir mis ainsi l'honneur de la règle à couvert.

Par le second arrangement, le Diable a son affaire ; mon char n'en roule pas moins bien sans la cinquième roue, le Public est content, je le suis aussi. Pourquoi le Journal de Bouillon ne l'est-il pas? — Ah! pourquoi! C'est qu'il est bien difficile de plaire à des gens qui, par métier, doivent ne jamais trouver les choses gaies assez sérieuses, ni les graves assez enjouées.

Je me flatte, Monsieur, que cela s'appelle raisonner principes et que vous n'êtes pas mécontent de mon petit syllogisme.

Reste à répondre aux observations dont quelques Personnes ont honoré le moins important des Drames hasardés depuis un siècle au Théâtre.

Je mets à part les lettres écrites aux Comédiens, à moi-même, sans signature et vulgairement appelées anonymes; on juge à l'âpreté du style que leurs Auteurs, peu versés dans la Critique, n'ont pas assez senti qu'une mauvaise Pièce n'est point une mauvaise action, et que telle injure, convenable à un méchant homme, est toujours déplacée à un méchant Écrivain. Passons aux autres.

Des Connaisseurs ont remarqué que j'étais tombé dans l'inconvénient de faire critiquer des usages français par un Plaisant de Séville à Séville, tandis que la vraisemblance exigeait qu'il s'étayât sur les mœurs Espagnoles. Ils ont raison; j'y avais même tellement pensé que, pour rendre la vraisemblance encore plus parfaite, j'avais d'abord résolu d'écrire et de faire jouer la Pièce en langage Espagnol, mais un homme de goût m'a fait observer qu'elle en perdrait peut-être un peu de sa gaieté pour le Public de Paris, raison qui m'a déterminé à l'écrire en français; en sorte que j'ai fait, comme on voit, une multitude de sacrifices à la gaieté, mais sans pouvoir parvenir à dérider le Journal de Bouillon.

Un autre Amateur, saisissant l'instant qu'il y avait beaucoup de monde au foyer[34], m'a reproché, du ton le plus sérieux, que ma Pièce ressemblait à: *On ne s'avise jamais de tout.* «Ressembler, Monsieur! Je soutiens que ma Pièce est: *On ne s'avise jamais de tout,* lui-même.

— Et comment cela? — C'est qu'on ne s'était pas encore avisé de ma Pièce.» L'Amateur resta court, et l'on en rit d'autant plus, que celui-là qui me reprochait: *On ne s'avise jamais de tout,* est un homme qui ne s'est jamais avisé de rien.

Quelques jours après, ceci est plus sérieux, chez une Dame incommodée, un Monsieur grave, en habit noir, coiffure bouffante et canne à corbin[35], lequel touchait régulièrement le poignet de la Dame, proposa civilement plusieurs doutes sur la vérité des traits que j'avais lancés contre les Médecins. «Monsieur, lui dis-je, êtes-vous ami de quelqu'un d'eux? Je serais désolé qu'un badinage... — On ne peut pas moins, je vois que vous ne me connaissez pas, je ne prends jamais le parti d'aucun, je parle ici pour le Corps en général.» Cela me fit beaucoup chercher quel homme ce pouvait être. «En fait de plaisanterie, ajoutai-je, vous savez, Monsieur, qu'on ne demande jamais si l'histoire est vraie, mais si elle est bonne. — Eh! croyez-vous moins perdre à cet examen qu'au premier? — À merveille, Docteur, dit la Dame. Le Monstre qu'il est! n'a-t-il pas osé parler mal aussi de nous? Faisons cause commune.»

À ce mot de *Docteur*, je commençai à soupçonner qu'elle parlait à son Médecin. Il est vrai, Madame et Monsieur, repris-je avec modestie, que je me suis permis ces légers torts, d'autant plus aisément qu'ils tirent moins à conséquence.

Eh! qui pourrait nuire à deux Corps puissants, dont l'empire embrasse l'univers et se partage le monde? Malgré les Envieux, les Belles y régneront toujours par le plaisir, et les Médecins par la douleur, et la brillante santé nous ramène à l'Amour, comme la maladie nous rend à la Médecine.

Cependant, je ne sais si, dans la balance des avantages, la Faculté ne l'emporte pas un peu sur la Beauté. Souvent on voit les Belles nous renvoyer aux Médecins; mais plus souvent encore les Médecins nous gardent et ne nous renvoient plus aux Belles.

En plaisantant donc, il faudrait peut-être avoir égard à la différence des ressentiments et songer que, si les Belles se vengent en se séparant de nous, ce n'est qu'un mal négatif; au lieu que les Médecins se vengent en s'en emparant, ce qui devient très positif;

Que, quand ces derniers nous tiennent, ils font de nous tout ce qu'ils veulent; au lieu que les Belles, toutes Belles qu'elles sont, n'en font jamais que ce qu'elles peuvent;

Que le commerce des Belles nous les rend bientôt moins nécessaires; au lieu que l'usage des Médecins finit par nous les rendre indispensables;

Enfin, que l'un de ces empires ne semble établi que pour assurer la durée de l'autre, puisque, plus la verte jeunesse est livrée à l'Amour, plus la pâle vieillesse appartient sûrement à la Médecine.

Au reste, ayant fait contre moi cause commune, il était juste, Madame et Monsieur, que je vous offrisse en commun mes justifications. Soyez donc persuadés que, faisant profession d'adorer les Belles et de redouter les Médecins, c'est toujours en badinant que je dis du mal de la Beauté ; comme ce n'est jamais sans trembler que je plaisante un peu la Faculté.

Ma déclaration n'est point suspecte à votre égard, Mesdames, et mes plus acharnés ennemis sont forcés d'avouer que, dans un instant d'humeur où mon dépit contre une Belle allait s'épancher trop librement sur toutes les autres, on m'a vu m'arrêter tout court au vingt-cinquième Couplet, et, par le plus prompt repentir, faire ainsi, dans le vingt-sixième, amende honorable aux Belles irritées :

> *Sexe charmant, si je décèle*
> *Votre cœur en proie au désir,*
> *Souvent à l'amour infidèle,*
> *Mais toujours fidèle au plaisir ;*
> *D'un badinage, ô mes Déesses !*
> *Ne cherchez point à vous venger :*
> *Tel glose, hélas ! sur vos faiblesses*
> *Qui brûle de les partager.*

«Quant à vous, Monsieur le Docteur, on sait assez que Molière... — Au désespoir, dit-il en se levant, de ne pouvoir profiter plus longtemps de vos lumières : mais l'humanité qui gémit ne doit pas souffrir de mes plaisirs. » Il me laissa, ma foi, la bouche ouverte avec ma phrase en l'air. «Je ne sais pas, dit la belle malade en riant, si je vous pardonne ; mais je vois bien que notre Docteur ne vous pardonne pas. — Le nôtre, Madame ? Il ne sera jamais le mien. — Eh ! pourquoi ? — Je ne sais ; je craindrais qu'il ne fût au-dessous de son état, puisqu'il n'est pas au-dessus des plaisanteries qu'on en peut faire. »

Ce Docteur n'est pas de mes gens. L'homme assez consommé dans son art pour en avouer de bonne foi l'incertitude, assez spirituel pour rire avec moi de ceux qui le disent infaillible : tel est mon Médecin. En me rendant ses soins qu'ils appellent des visites, en me donnant ses conseils qu'ils nomment des ordonnances, il remplit dignement et sans faste la plus noble fonction d'une âme éclairée et sensible. Avec plus d'esprit, il calcule plus de rapports, et c'est tout ce qu'on peut dans un art aussi utile qu'incertain. Il me raisonne, il me console, il me guide, et la nature fait le reste. Aussi, loin de s'offenser de la plaisanterie, est-il le premier à l'opposer au pédantisme. À l'infatué qui lui dit gravement : « De quatre-vingts fluxions de poitrine que j'ai traitées cet Automne, un seul malade a péri dans mes mains », mon Docteur répond en souriant : « Pour moi, j'ai prêté mes secours à plus de cent cet hiver, hélas ! je n'en ai pu sauver qu'un seul. » Tel est mon aimable Médecin. — Je le connais. — Vous permettez bien que je ne l'échange pas contre le vôtre. Un Pédant n'aura pas plus ma confiance en maladie qu'une Bégueule n'obtiendrait mon hommage en santé. Mais je ne suis qu'un sot. Au lieu de vous rappeler mon amende honorable au beau sexe, je devais lui chanter le Couplet de la Bégueule ; il est tout fait pour lui.

> *Pour égayer ma poésie,*
> *Au hasard j'assemble des traits ;*
> *J'en fais, peintre de fantaisie,*
> *Des Tableaux, jamais des Portraits.*
> *La Femme d'esprit, qui s'en moque,*
> *Sourit finement à l'Auteur ;*
> *Pour l'imprudente qui s'en choque,*
> *Sa colère est son délateur.*

— À propos de Chanson, dit la Dame, vous êtes bien honnête d'avoir été donner votre Pièce aux Français ! moi qui n'ai de petite Loge qu'aux Italiens ! Pourquoi n'en avoir pas fait un Opéra-Comique ? Ce fut, dit-on, votre première idée. La Pièce est d'un genre à comporter de la musique.

— Je ne sais si elle est propre à la supporter, ou si je m'étais trompé d'abord en le supposant[36] ; mais, sans entrer dans les raisons qui m'ont fait changer d'avis, celle-ci, Madame, répond à tout :

Notre Musique Dramatique ressemble trop encore à notre Musique Chansonnière pour en attendre un véritable intérêt ou de la gaieté franche. Il faudra commencer à l'employer sérieusement au Théâtre quand on sentira bien qu'on ne doit y chanter que pour parler ; quand nos Musiciens se rapprocheront de la nature, et surtout cesseront de s'imposer l'absurde loi de toujours revenir à la première partie d'un air après qu'ils en ont dit la seconde. Est-ce qu'il y a des Reprises et des Rondeaux dans un Drame ? Ce cruel radotage est la mort de l'intérêt et dénote un vide insupportable dans les idées.

Moi qui ai toujours chéri la Musique sans inconstance et

même sans infidélité, souvent, aux Pièces qui m'attachent le plus, je me surprends à pousser de l'épaule, à dire tout bas avec humeur : Eh! va donc, Musique! pourquoi toujours répéter? N'es-tu pas assez lente? Au lieu de narrer vivement, tu rabâches! au lieu de peindre la passion, tu t'accroches aux mots! Le Poëte se tue à serrer l'événement, et toi tu le délayes! Que lui sert de rendre son style énergique et pressé, si tu l'ensevelis sous d'inutiles fredons? Avec ta stérile abondance, reste, reste aux Chansons pour toute nourriture, jusqu'à ce que tu connaisses le langage sublime et tumultueux des passions.

En effet, si la déclamation est déjà un abus de la narration au Théâtre, le chant, qui est un abus de la déclamation, n'est donc, comme on voit, que l'abus de l'abus. Ajoutez-y la répétition des phrases, et voyez ce que devient l'intérêt. Pendant que le vice ici va toujours en croissant, l'intérêt marche à sens contraire; l'action s'alanguit; quelque chose me manque, je deviens distrait; l'ennui me gagne; et si je cherche alors à deviner ce que je voudrais, il m'arrive souvent de trouver que je voudrais la fin du Spectacle.

Il est un autre art d'imitation, en général beaucoup moins avancé que la Musique, mais qui semble en ce point lui servir de leçon. Pour la variété seulement, la Danse élevée est déjà le modèle du chant.

Voyez le superbe Vestris ou le fier d'Auberval[37] engager un pas de caractère. Il ne danse pas encore; mais, d'aussi loin qu'il paraît, son port libre et dégagé fait déjà lever la tête aux Spectateurs. Il inspire autant de fierté qu'il promet de plaisirs. Il est parti... Pendant que le Musicien redit vingt fois ses phrases et monotone[38] ses mouvements, le Danseur varie les siens à l'infini.

Le voyez-vous s'avancer légèrement à petits bonds, reculer à grands pas et faire oublier le comble de l'art par la plus ingénieuse négligence? Tantôt sur un pied, gardant le plus savant équilibre, et suspendu sans mouvement pendant plusieurs mesures, il étonne, il surprend par l'immobilité de son aplomb... Et soudain, comme s'il regrettait le temps du repos, il part comme un trait, vole au fond du Théâtre, et revient, en pirouettant, avec une rapidité que l'œil peut suivre à peine.

L'air a beau recommencer, rigaudonner[39], se répéter, se radoter, il ne se répète point, lui! tout en déployant les mâles beautés d'un corps souple et puissant, il peint les mouvements violents dont son âme est agitée; il vous lance un regard passionné que ses bras mollement ouverts rendent plus expressif ; et, comme s'il se lassait bientôt de vous plaire, il se relève avec dédain, se dérobe à l'œil qui le suit, et la passion la plus fougueuse semble alors naître et sortir de la plus douce ivresse. Impétueux, turbulent, il exprime une colère si bouillante et si vraie qu'il m'arrache à mon siège et me fait froncer le sourcil. Mais, reprenant soudain le geste et l'accent d'une volupté paisible, il erre nonchalamment avec une grâce, une mollesse, et des mouvements si délicats, qu'il enlève autant de suffrages qu'il y a de regards attachés sur sa Danse enchanteresse.

Compositeurs, chantez comme il danse, et nous aurons, au lieu d'Opéras, des Mélodrames[40] ! Mais j'entends mon éternel Censeur (je ne sais plus s'il est d'ailleurs ou de Bouillon), qui me dit : « Que prétend-on par ce tableau ? Je vois un talent supérieur, et non la Danse en général. C'est dans sa marche ordinaire qu'il faut saisir un art pour le comparer, et non dans ses efforts les plus sublimes. N'avons-nous pas… »

Je l'arrête à mon tour. Eh quoi ! si je veux peindre un coursier et me former une juste idée de ce noble animal, irai-je le chercher hongre et vieux, gémissant au timon du fiacre, ou trottinant sous le plâtrier qui siffle ? Je le prends au haras, fier Étalon, vigoureux, découplé, l'œil ardent, frappant la terre et soufflant le feu par les naseaux, bondissant de désirs et d'impatience, ou fendant l'air, qu'il électrise, et dont le brusque hennissement réjouit l'homme et fait tressaillir toutes les cavales de la contrée. Tel est mon Danseur.

Et quand je crayonne un art, c'est parmi les plus grands sujets qui l'exercent que j'entends choisir mes modèles ; tous les efforts du génie… Mais je m'éloigne trop de mon sujet ; revenons au *Barbier de Séville*… ou plutôt, Monsieur, n'y revenons pas. C'est assez pour une bagatelle. Insensiblement je tomberais dans le défaut reproché trop justement à nos Français, de toujours faire de petites chansons sur les grandes affaires, et de grandes dissertations sur les petites.

Je suis, avec le plus profond respect,
    Monsieur,
        Votre très humble et très obéissant serviteur.

*L'Auteur.*

# PERSONNAGES

LE COMTE ALMAVIVA, grand d'Espagne, amant inconnu de Rosine.

BARTHOLO, médecin, tuteur de Rosine.

ROSINE, jeune personne d'extraction noble, et pupille de Bartholo.

FIGARO, barbier de Séville.

DON BAZILE, organiste, maître à chanter de Rosine.

LA JEUNESSE, vieux domestique de Bartholo.

L'ÉVEILLÉ, autre valet de Bartholo, garçon niais et endormi.

UN NOTAIRE.

UN ALCADE, homme de Justice.

PLUSIEURS ALGUAZILS[1] ET VALETS avec des flambeaux.

*Les habits des Acteurs[2] doivent être dans l'ancien costume espagnol.*

LE COMTE ALMAVIVA, Grand d'Espagne, Amant inconnu de Rosine, paraît au premier Acte en veste et culotte de satin ; il est enveloppé d'un grand manteau brun, ou cape espagnole ; chapeau noir rabattu, avec un ruban de couleur autour de la forme. Au deuxième Acte : habit uniforme de Cavalier avec des moustaches et des bottines. Au troisième, habillé en Bachelier[3] ; cheveux ronds, grande fraise au cou ; veste, culotte, bas et manteau d'Abbé[4]. Au quatrième Acte, il est vêtu superbement à l'Espagnole avec un riche manteau ; par-dessus tout, le large manteau brun dont il se tient enveloppé.

BARTHOLO, Médecin, Tuteur de Rosine : habit noir, court, boutonné ; grande perruque ; fraise et manchettes relevées ;

une ceinture noire ; et quand il veut sortir de chez lui, un long manteau écarlate.

ROSINE, Jeune personne d'extraction noble, et Pupille de Bartholo : habillée à l'Espagnole.

FIGARO, Barbier de Séville : en habit de Majo[5] espagnol. La tête couverte d'une rescille, ou filet ; chapeau blanc, ruban de couleur, autour de la forme ; un fichu de soie, attaché fort lâche à son cou ; gilet et haut-de-chausse de satin, avec des boutons et boutonnières frangés d'argent ; une grande ceinture de soie ; les jarretières nouées avec des glands qui pendent sur chaque jambe ; veste de couleur tranchante, à grands revers de la couleur du gilet ; bas blancs et souliers gris.

DON BAZILE, Organiste, Maître à chanter de Rosine : chapeau noir rabattu, soutanelle et long manteau, sans fraise ni manchettes.

LA JEUNESSE, Vieux Domestique de Bartholo.

L'ÉVEILLÉ, autre Valet de Bartholo, garçon niais et endormi. Tous deux habillés en Galiciens ; tous les cheveux dans la queue ; gilet couleur de chamois ; large ceinture de peau avec une boucle ; culotte bleue et veste de même, dont les manches, ouvertes aux épaules pour le passage des bras, sont pendantes par derrière.

UN NOTAIRE.

UN ALCADE, Homme de Justice, avec une longue baguette blanche à la main.

PLUSIEURS ALGUAZILS ET VALETS avec des flambeaux.

*La Scène est à Séville, dans la rue et sous les fenêtres de Rosine, au premier Acte, et le reste de la Pièce dans la Maison du Docteur Bartholo.*

# ACTE PREMIER

*Le théâtre représente une rue de Séville,
où toutes les croisées sont grillées.*

## SCÈNE PREMIÈRE

LE COMTE, *seul, en grand manteau brun
et chapeau rabattu.
Il tire sa montre en se promenant.*

Le jour est moins avancé que je ne croyais. L'heure
à laquelle elle a coutume de se montrer derrière sa
jalousie est encore éloignée. N'importe ; il vaut mieux
arriver trop tôt que de manquer l'instant de la voir.
Si quelque aimable de la Cour pouvait me deviner
à cent lieues de Madrid, arrêté tous les matins sous
les fenêtres d'une femme à qui je n'ai jamais parlé, il
me prendrait pour un Espagnol du temps d'Isabelle[6].
— Pourquoi non ? Chacun court après le bonheur. Il
est pour moi dans le cœur de Rosine. — Mais quoi !
suivre une femme à Séville, quand Madrid et la Cour
offrent de toutes parts des plaisirs si faciles ? — Et
c'est cela même que je fuis. Je suis las des conquêtes
que l'intérêt, la convenance ou la vanité nous pré-
sentent sans cesse. Il est si doux d'être aimé pour
soi-même ; et si je pouvais m'assurer sous ce déguisement... Au diable l'importun !

## SCÈNE II

FIGARO, LE COMTE, *caché.*

FIGARO, *une guitare sur le dos
attachée en bandoulière avec un large ruban : il chantonne
gaiement, un papier et un crayon à la main :*

> Bannissons le chagrin,
> Il nous consume :
> Sans le feu du bon vin,
> Qui nous rallume,
> Réduit à languir,
> L'homme, sans plaisir,
> Vivrait somme un sot,
> Et mourrait bientôt.

Jusque-là ceci ne va pas mal, hein, hein !

> ... Et mourrait bientôt.
> Le vin et la paresse
> Se disputent mon cœur...

Eh non ! ils ne se le disputent pas, ils y règnent paisiblement ensemble...

> Se partagent... mon cœur.

Dit-on se partagent ?... Eh ! mon Dieu, nos faiseurs d'opéras-comiques n'y regardent pas de si près. Aujourd'hui, ce qui ne vaut pas la peine d'être dit, on le chante. *(Il chante.)*

> Le vin et la paresse
> Se partagent mon cœur.

Je voudrais finir par quelque chose de beau, de brillant, de scintillant, qui eût l'air d'une pensée. *(Il met un genou en terre et écrit en chantant.)*

> Se partagent mon cœur.
> Si l'une a ma tendresse...
> L'autre fait mon bonheur.

Fi donc ! c'est plat. Ce n'est pas ça... Il me faut une opposition, une antithèse :

> Si l'une... est ma maîtresse,
> L'autre...

Eh ! parbleu, j'y suis !...

L'autre est mon serviteur.

Fort bien, Figaro !... *(Il écrit en chantant.)*

> Le vin et la paresse
> Se partagent mon cœur ;
> Si l'une est ma maîtresse,
> L'autre est mon serviteur,
> L'autre est mon serviteur,
> L'autre est mon serviteur.

Hein, hein, quand il y aura des accompagnements là-dessous, nous verrons encore, Messieurs de la cabale, si je ne sais ce que je dis. *(Il aperçoit le Comte.)* J'ai vu cet Abbé-là quelque part. *(Il se relève.)*

LE COMTE, *à part.*

Cet homme ne m'est pas inconnu.

FIGARO

Eh non, ce n'est pas un Abbé ! Cet air altier et noble...

LE COMTE

Cette tournure grotesque...

FIGARO

Je ne me trompe point; c'est le Comte Almaviva.

LE COMTE

Je crois que c'est ce coquin de Figaro.

FIGARO

C'est lui-même, Monseigneur.

LE COMTE

Maraud! si tu dis un mot...

FIGARO

Oui, je vous reconnais; voilà les bontés familières dont vous m'avez toujours honoré.

LE COMTE

Je ne te reconnaissais pas, moi. Te voilà si gros et si gras...

FIGARO

Que voulez-vous, Monseigneur, c'est la misère.

LE COMTE

Pauvre petit! Mais que fais-tu à Séville? Je t'avais autrefois recommandé dans les Bureaux pour un emploi.

FIGARO

Je l'ai obtenu, Monseigneur, et ma reconnaissance...

LE COMTE

Appelle-moi Lindor[7]. Ne vois-tu pas, à mon déguisement, que je veux être inconnu?

FIGARO

Je me retire.

LE COMTE

Au contraire. J'attends ici quelque chose; et deux hommes qui jasent sont moins suspects qu'un seul qui se promène. Ayons l'air de jaser. Eh bien, cet emploi?

FIGARO

Le Ministre, ayant égard à la recommandation de Votre Excellence, me fit nommer sur-le-champ Garçon Apothicaire[8].

LE COMTE

Dans les hôpitaux de l'Armée?

FIGARO

Non; dans les haras d'Andalousie.

LE COMTE, *riant.*

Beau début!

FIGARO

Le poste n'était pas mauvais; parce qu'ayant le district des pansements et des drogues, je vendais souvent aux hommes de bonnes médecines de cheval...

LE COMTE

Qui tuaient les sujets du Roi!

FIGARO

Ah! ah! il n'y a point de remède universel; mais qui n'ont pas laissé de guérir quelquefois des Galiciens, des Catalans, des Auvergnats.

LE COMTE

Pourquoi donc l'as-tu quitté?

FIGARO

Quitté? C'est bien lui-même; on m'a desservi auprès des Puissances.

L'envie aux doigts crochus, au teint pâle et livide[9]...

LE COMTE

Oh grâce! grâce, ami! Est-ce que tu fais aussi des vers? Je t'ai vu là griffonnant sur ton genou, et chantant dès le matin.

FIGARO

Voilà précisément la cause de mon malheur, Excellence. Quand on a rapporté au Ministre que je faisais, je puis dire assez joliment, des bouquets à Chloris[10], que j'envoyais des énigmes aux Journaux, qu'il courait des Madrigaux de ma façon; en un mot, quand il a su que j'étais imprimé tout vif, il a pris la chose au tragique, et m'a fait ôter mon emploi, sous prétexte que l'amour des Lettres est incompatible avec l'esprit des affaires.

LE COMTE

Puissamment raisonné! et tu ne lui fis pas représenter...

FIGARO

Je me crus trop heureux d'en être oublié; per-

suadé qu'un Grand nous fait assez de bien quand il
ne nous fait pas de mal.

#### LE COMTE

Tu ne dis pas tout. Je me souviens qu'à mon service
tu étais un assez mauvais sujet.

#### FIGARO

Eh! mon Dieu, Monseigneur, c'est qu'on veut que
le pauvre soit sans défaut.

#### LE COMTE

Paresseux, dérangé...

#### FIGARO

Aux vertus qu'on exige dans un Domestique, Votre
Excellence connaît-elle beaucoup de Maîtres qui
fussent dignes d'être Valets?

#### LE COMTE, *riant.*

Pas mal. Et tu t'es retiré en cette Ville?

#### FIGARO

Non pas tout de suite.

#### LE COMTE, *l'arrêtant.*

Un moment... J'ai cru que c'était elle... Dis toujours, je t'entends de reste.

#### FIGARO

De retour à Madrid, je voulus essayer de nouveau
mes talents littéraires, et le théâtre me parut un
champ d'honneur...

#### LE COMTE

Ah! miséricorde!

FIGARO *(Pendant sa réplique,*
*le Comte regarde avec attention du côté de la jalousie.)*

En vérité, je ne sais comment je n'eus pas le plus grand succès, car j'avais rempli le parterre des plus excellents Travailleurs ; des mains... comme des battoirs ; j'avais interdit les gants, les cannes, tout ce qui ne produit que des applaudissements sourds ; et d'honneur, avant la Pièce, le Café[11] m'avait paru dans les meilleures dispositions pour moi. Mais les efforts de la cabale...

LE COMTE

Ah ! la cabale ! Monsieur l'Auteur tombé !

FIGARO

Tout comme un autre : pourquoi pas ? Ils m'ont sifflé ; mais si jamais je puis les rassembler...

LE COMTE

L'ennui te vengera bien d'eux ?

FIGARO

Ah ! comme je leur en garde, morbleu !

LE COMTE

Tu jures ! Sais-tu qu'on n'a que vingt-quatre heures au Palais pour maudire ses Juges[12] ?

FIGARO

On a vingt-quatre ans au théâtre ; la vie est trop courte pour user un pareil ressentiment.

LE COMTE

Ta joyeuse colère me réjouit. Mais tu ne me dis pas ce qui t'a fait quitter Madrid.

FIGARO

C'est mon bon ange, Excellence, puisque je suis assez heureux pour retrouver mon ancien Maître. Voyant à Madrid que la république des Lettres était celle des loups, toujours armés les uns contre les autres, et que, livrés au mépris où ce risible acharnement les conduit, tous les Insectes, les Moustiques, les Cousins[13], les Critiques, les Maringouins[14], les Envieux, les Feuillistes, les Libraires, les Censeurs, et tout ce qui s'attache à la peau des malheureux Gens de Lettres, achevait de déchiqueter et sucer le peu de substance qui leur restait ; fatigué d'écrire, ennuyé de moi, dégoûté des autres, abîmé de dettes et léger d'argent ; à la fin, convaincu que l'utile revenu du rasoir est préférable aux vains honneurs de la plume, j'ai quitté Madrid, et, mon bagage en sautoir, parcourant philosophiquement les deux Castilles, la Manche, l'Estramadure, la Sierra-Morena, l'Andalousie ; accueilli dans une ville, emprisonné dans l'autre, et partout supérieur aux événements ; loué par ceux-ci, blâmé par ceux-là ; aidant au bon temps, supportant le mauvais ; me moquant des sots, bravant les méchants ; riant de ma misère et faisant la barbe à tout le monde ; vous me voyez enfin établi dans Séville et prêt à servir de nouveau Votre Excellence en tout ce qu'il lui plaira de m'ordonner.

LE COMTE

Qui t'a donné une philosophie aussi gaie ?

FIGARO

L'habitude du malheur. Je me presse de rire de tout, de peur d'être obligé d'en pleurer. Que regardez-vous donc toujours de ce côté ?

LE COMTE

Sauvons-nous.

FIGARO

Pourquoi?

LE COMTE

Viens donc, malheureux! tu me perds. *(Ils se cachent.)*

## SCÈNE III

BARTHOLO, ROSINE. *La jalousie du premier étage s'ouvre, et Bartholo et Rosine se mettent à la fenêtre.*

ROSINE

Comme le grand air fait plaisir à respirer! Cette jalousie s'ouvre si rarement...

BARTHOLO

Quel papier tenez-vous là?

ROSINE

Ce sont des couplets de la *Précaution inutile* que mon Maître à chanter m'a donnés hier.

BARTHOLO

Qu'est-ce que la *Précaution inutile*?

ROSINE

C'est une Comédie nouvelle.

BARTHOLO

Quelque Drame encore! Quelque sottise d'un nouveau genre!

ROSINE

Je n'en sais rien.

BARTHOLO

Euh! euh! les Journaux et l'Autorité nous en feront raison. Siècle barbare!...

ROSINE

Vous injuriez toujours notre pauvre siècle.

BARTHOLO

Pardon de la liberté : qu'a-t-il produit pour qu'on le loue? Sottises de toute espèce : la liberté de penser, l'attraction, l'électricité, le tolérantisme, l'inoculation, le quinquina[15], l'Encyclopédie et les drames...

ROSINE *(Le papier lui échappe et tombe dans la rue.)*

Ah! ma chanson! ma chanson est tombée en vous écoutant; courez, courez donc, Monsieur; ma chanson! elle sera perdue.

BARTHOLO

Que diable aussi, l'on tient ce qu'on tient. *(Il quitte le balcon.)*

ROSINE *regarde en dedans et fait signe dans la rue.*

S't, s't, *(le Comte paraît)* ramassez vite et sauvez-vous. *(Le Comte ne fait qu'un saut, ramasse la papier et rentre.)*

BARTHOLO *sort de la maison et cherche.*

Où donc est-il? Je ne vois rien.

ROSINE

Sous le balcon, au pied du mur.

BARTHOLO

Vous me donnez là une jolie commission ! Il est donc passé quelqu'un ?

ROSINE

Je n'ai vu personne.

BARTHOLO, *à lui-même.*

Et moi qui ai la bonté de chercher... Bartholo, vous n'êtes qu'un sot, mon ami : ceci doit vous apprendre à ne jamais ouvrir de jalousies sur la rue. *(Il rentre.)*

ROSINE, *toujours au balcon.*

Mon excuse est dans mon malheur : seule, enfermée, en butte à la persécution d'un homme odieux, est-ce un crime de tenter à sortir d'esclavage ?

BARTHOLO, *paraissant au balcon.*

Rentrez, Signora ; c'est ma faute si vous avez perdu votre chanson, mais ce malheur ne vous arrivera plus, je vous jure. *(Il ferme la jalousie à la clef.)*

## SCÈNE IV

LE COMTE, FIGARO. *Ils entrent avec précaution.*

LE COMTE

À présent qu'ils sont retirés, examinons cette chanson, dans laquelle un mystère est sûrement renfermé. C'est un billet !

FIGARO

Il demandait ce que c'est que la *Précaution inutile*!

LE COMTE *lit vivement.*

«Votre empressement excite ma curiosité; sitôt que mon Tuteur sera sorti, chantez indifféremment, sur l'air connu de ces couplets, quelque chose qui m'apprenne enfin le nom, l'état et les intentions de celui qui paraît s'attacher si obstinément à l'infortunée Rosine.»

FIGARO, *contrefaisant la voix de Rosine.*

Ma chanson! ma chanson est tombée; courez, courez donc, *(il rit)* ah! ah! ah! ah! Ô ces femmes! voulez-vous donner de l'adresse à la plus ingénue? enfermez-la.

LE COMTE

Ma chère Rosine!

FIGARO

Monseigneur, je ne suis plus en peine des motifs de votre mascarade; vous faites ici l'amour en perspective.

LE COMTE

Te voilà instruit, mais si tu jases...

FIGARO

Moi jaser! je n'emploierai point pour vous rassurer les grandes phrases d'honneur et de dévouement dont on abuse à la journée, je n'ai qu'un mot: mon intérêt vous répond de moi; pesez tout à cette balance et...

### LE COMTE

Fort bien. Apprends donc que le hasard m'a fait rencontrer au Prado[16], il y a six mois, une jeune personne d'une beauté... Tu viens de la voir! je l'ai fait chercher en vain par tout Madrid. Ce n'est que depuis peu de jours que j'ai découvert qu'elle s'appelle Rosine, est d'un sang noble, orpheline et mariée à un vieux Médecin de cette ville nommé Bartholo.

### FIGARO

Joli oiseau, ma foi! difficile à dénicher! Mais qui vous a dit qu'elle était femme du Docteur?

### LE COMTE

Tout le monde.

### FIGARO

C'est une histoire qu'il a forgée en arrivant de Madrid, pour donner le change aux galants et les écarter; elle n'est encore que sa pupille, mais bientôt...

### LE COMTE, *vivement.*

Jamais. Ah, quelle nouvelle! j'étais résolu de tout poser pour lui présenter mes regrets, et je la trouve libre! Il n'y a pas un moment à perdre, il faut m'en faire aimer, et l'arracher à l'indigne engagement qu'on lui destine. Tu connais donc ce Tuteur?

### FIGARO

Comme ma mère.

### LE COMTE

Quel homme est-ce?

FIGARO, *vivement.*

C'est un beau gros, court, jeune vieillard, gris pommelé, rusé, rasé, blasé, qui guette et furète et gronde et geint tout à la fois.

LE COMTE, *impatienté.*

Eh ! je l'ai vu. Son caractère ?

FIGARO

Brutal, avare, amoureux et jaloux à l'excès de sa pupille, qui le hait à la mort.

LE COMTE

Ainsi, ses moyens de plaire sont…

FIGARO

Nuls.

LE COMTE

Tant mieux. Sa probité ?

FIGARO

Tout juste autant qu'il en faut pour n'être point pendu.

LE COMTE

Tant mieux. Punir un fripon en se rendant heureux…

FIGARO

C'est faire à la fois le bien public et particulier : chef d'œuvre de morale, en vérité, Monseigneur !

LE COMTE

Tu dis que la crainte des galants lui fait fermer sa porte ?

FIGARO

À tout le monde : s'il pouvait la calfeutrer…

LE COMTE

Ah ! diable ! tant pis. Aurais-tu de l'accès chez lui ?

FIGARO

Si j'en ai ! *Primo*, la maison que j'occupe appartient au Docteur, qui m'y loge *gratis*.

LE COMTE

Ah ! ah !

FIGARO

Oui. Et moi, en reconnaissance, je lui promets dix pistoles par an, *gratis* aussi.

LE COMTE, *impatienté*.

Tu es son locataire ?

FIGARO

De plus, son Barbier, son Chirurgien, son Apothicaire ; il ne se donne pas dans la maison un coup de rasoir, de lancette ou de piston[17], qui ne soit de la main de votre serviteur.

LE COMTE *l'embrasse*.

Ah ! Figaro, mon ami, tu seras mon ange, mon libérateur, mon Dieu tutélaire.

FIGARO

Peste ! comme l'utilité vous a bientôt rapproché les distances ! parlez-moi des gens passionnés.

LE COMTE

Heureux Figaro! tu vas voir ma Rosine! tu vas la voir! Conçois-tu ton bonheur?

FIGARO

C'est bien là un propos d'Amant! Est-ce que je l'adore, moi? Puissiez-vous prendre ma place!

LE COMTE

Ah! si l'on pouvait écarter tous les surveillants!...

FIGARO

C'est à quoi je rêvais.

LE COMTE

Pour douze heures seulement!

FIGARO

En occupant les gens de leur propre intérêt, on les empêche de nuire à l'intérêt d'autrui.

LE COMTE

Sans doute. Eh bien?

FIGARO, *rêvant.*

Je cherche dans ma tête si la Pharmacie ne fournirait pas quelques petits moyens innocents...

LE COMTE

Scélérat!

FIGARO

Est-ce que je veux leur nuire? Ils ont tous besoin de mon ministère. Il ne s'agit que de les traiter ensemble.

LE COMTE

Mais ce Médecin peut prendre un soupçon.

FIGARO

Il faut marcher si vite, que le soupçon n'ait pas le temps de naître. Il me vient une idée. Le Régiment de Royal-Infant[18] arrive en cette Ville.

LE COMTE

Le Colonel est de mes amis.

FIGARO

Bon. Présentez-vous chez le Docteur en habit de Cavalier, avec un billet de logement; il faudra bien qu'il vous héberge; et moi, je me charge du reste.

LE COMTE

Excellent!

FIGARO

Il ne serait même pas mal que vous eussiez l'air entre deux vins...

LE COMTE

À quoi bon?

FIGARO

Et le mener un peu lestement sous cette apparence déraisonnable.

LE COMTE

À quoi bon?

FIGARO

Pour qu'il ne prenne aucun ombrage, et vous croie plus pressé de dormir que d'intriguer chez lui.

LE COMTE

Supérieurement vu ! Mais que n'y vas-tu, toi ?

FIGARO

Ah ! oui, moi ! Nous serons bien heureux s'il ne vous reconnaît pas, vous qu'il n'a jamais vu. Et comment vous introduire après ?

LE COMTE

Tu as raison.

FIGARO

C'est que vous ne pourrez peut-être pas soutenir ce personnage difficile. Cavalier... pris de vin...

LE COMTE

Tu te moques de moi. *(Prenant un ton ivre.)* N'est-ce point la maison du Docteur Bartholo, mon ami ?

FIGARO

Pas mal, en vérité ; vos jambes seulement un peu plus avinées. *(D'un ton plus ivre.)* N'est-ce pas ici la maison...

LE COMTE

Fi donc ! tu as l'ivresse du peuple.

FIGARO

C'est la bonne ; c'est celle du plaisir.

LE COMTE

La porte s'ouvre.

FIGARO

C'est notre homme : éloignons-nous jusqu'à ce qu'il soit parti.

## SCÈNE V

LE COMTE ET FIGARO *cachés.*
BARTHOLO *sort en parlant de la maison.*

#### BARTHOLO

Je reviens à l'instant; qu'on ne laisse entrer personne. Quelle sottise à moi d'être descendu! Dès qu'elle m'en priait, je devais bien me douter... Et Bazile qui ne vient pas! Il devait tout arranger pour que mon mariage se fît secrètement demain; et point de nouvelles! Allons voir ce qui peut l'arrêter.

## SCÈNE VI

LE COMTE, FIGARO

#### LE COMTE

Qu'ai-je entendu? Demain il épouse Rosine en secret!

#### FIGARO

Monseigneur, la difficulté de réussir ne fait qu'ajouter à la nécessité d'entreprendre.

#### LE COMTE

Quel est donc ce Bazile qui se mêle de son mariage?

#### FIGARO

Un pauvre hère qui montre la musique à sa pupille, infatué de son art, friponneau besogneux, à genoux devant un écu, et dont il sera facile de venir

à bout, Monseigneur… *(Regardant à la jalousie.)* La
v'là ! la v'là !

LE COMTE

Qui donc ?

FIGARO

Derrière sa jalousie. La voilà ! la voilà ! Ne regardez
pas, ne regardez pas !

LE COMTE

Pourquoi ?

FIGARO

Ne vous écrit-elle pas : *Chantez indifféremment ?* c'est-
à-dire, chantez comme si vous chantiez… seulement
pour chanter. Oh ! la v'là ! la v'là !

LE COMTE

Puisque j'ai commencé à l'intéresser sans être
connu d'elle, ne quittons point le nom de Lindor que
j'ai pris, mon triomphe en aura plus de charmes.
*(Il déploie le papier que Rosine a jeté.)* Mais comment
chanter sur cette musique ? Je ne sais pas faire de
vers, moi !

FIGARO

Tout ce qui vous viendra, Monseigneur, est excellent ; en amour, le cœur n'est pas difficile sur les productions de l'esprit… et prenez ma guitare.

LE COMTE

Que veux-tu que j'en fasse ? j'en joue si mal !

FIGARO

Est-ce qu'un homme comme vous ignore quelque

chose? Avec le dos de la main : from, from, from...
Chanter sans guitare à Séville! vous seriez bientôt
reconnu, ma foi, bientôt dépisté! *(Figaro se colle au
mur sous le balcon.)*

LE COMTE *chante*
*en se promenant et s'accompagnant sur sa guitare.*

PREMIER COUPLET

Vous l'ordonnez, je me ferai connaître.
Plus inconnu, j'osais vous adorer :
En me nommant, que pourrais-je espérer?
N'importe, il faut obéir à son Maître.

FIGARO, *bas.*

Fort bien, parbleu! Courage, Monseigneur!

LE COMTE

DEUXIÈME COUPLET

Je suis Lindor, ma naissance est commune,
Mes vœux sont ceux d'un simple Bachelier[19];
Que n'ai-je, hélas! d'un brillant Chevalier
À vous offrir le rang et la fortune!

FIGARO

Eh comment diable! Je ne ferais pas mieux, moi
qui m'en pique.

LE COMTE

TROISIÈME COUPLET

Tous les matins, ici, d'une voix tendre,
Je chanterai mon amour sans espoir;
Je bornerai mes plaisirs à vous voir;
Et puissiez-vous en trouver à m'entendre!

FIGARO

Oh! ma foi, pour celui-ci!... *(Il s'approche, et baise le bas de l'habit de son Maître.)*

LE COMTE

Figaro?

FIGARO

Excellence?

LE COMTE

Crois-tu que l'on m'ait entendu?

ROSINE, *en dedans, chante :*

Air du *Maître en Droit*[20].

Tout me dit que Lindor est charmant,
Que je dois l'aimer constamment...

*(On entend une croisée qui se ferme avec bruit.)*

FIGARO

Croyez-vous qu'on vous ait entendu cette fois?

LE COMTE

Elle a fermé sa fenêtre; quelqu'un apparemment est entré chez elle.

FIGARO

Ah! la pauvre petite, comme elle tremble en chantant! Elle est prise, Monseigneur.

LE COMTE

Elle se sert du moyen qu'elle-même a indiqué. *Tout*

*me dit que Lindor est charmant.* Que de grâces! que d'esprit!

FIGARO

Que de ruse! que d'amour!

LE COMTE

Crois-tu qu'elle se donne à moi, Figaro?

FIGARO

Elle passera plutôt à travers cette jalousie que d'y manquer.

LE COMTE

C'en est fait, je suis à ma Rosine... pour la vie.

FIGARO

Vous oubliez, Monseigneur, qu'elle ne vous entend plus.

LE COMTE

Monsieur Figaro, je n'ai qu'un mot à vous dire : elle sera ma femme; et si vous servez bien mon projet en lui cachant mon nom... tu m'entends, tu me connais...

FIGARO

Je me rends. Allons, Figaro, vole à la fortune, mon fils.

LE COMTE

Retirons-nous, crainte de nous rendre suspects.

FIGARO, *vivement.*

Moi, j'entre ici, où, par la force de mon Art, je vais d'un seul coup de baguette endormir la vigilance,

éveiller l'amour, égarer la jalousie, fourvoyer l'intrigue et renverser tous les obstacles. Vous, Monseigneur, chez moi, l'habit de Soldat, le billet de
logement et de l'or dans vos poches.

LE COMTE

Pour qui de l'or?

FIGARO, *vivement.*

De l'or, mon Dieu! de l'or, c'est le nerf de
l'intrigue.

LE COMTE

Ne te fâche pas, Figaro, j'en prendrai beaucoup.

FIGARO, *s'en allant.*

Je vous rejoins dans peu.

LE COMTE

Figaro?

FIGARO

Qu'est-ce que c'est?

LE COMTE

Et ta guitare?

FIGARO *revient.*

J'oublie ma guitare, moi! je suis donc fou! (*Il
s'en va.*)

LE COMTE

Et ta demeure, étourdi?

FIGARO *revient.*

Ah! réellement je suis frappé! Ma Boutique à

quatre pas d'ici, peinte en bleu, vitrage en plomb, trois palettes[21] en l'air, l'œil dans la main : *Consilio manuque*[22], FIGARO. *(Il s'enfuit.)*

# ACTE II

*Le Théâtre représente l'appartement de Rosine.*
*La croisée dans le fond du Théâtre*
*est fermée par une jalousie grillée.*

## SCÈNE PREMIÈRE

ROSINE, *seule, un bougeoir à la main.*
*Elle prend du papier sur la table et se met à écrire.*

Marceline[23] est malade, tous les gens sont occupés, et personne ne me voit écrire. Je ne sais si ces murs ont des yeux et des oreilles, ou si mon Argus[24] a un génie malfaisant qui l'instruit à point nommé, mais je ne puis dire un mot ni faire un pas dont il ne devine sur-le-champ l'intention... Ah! Lindor!... *(Elle cachette la lettre.)* Fermons toujours ma lettre, quoique j'ignore quand et comment je pourrai la lui faire tenir. Je l'ai vu, à travers ma jalousie, parler longtemps au Barbier Figaro. C'est un bon homme qui m'a montré quelquefois de la pitié; si je pouvais l'entretenir un moment!

## SCÈNE II

ROSINE, FIGARO

ROSINE, *surprise.*
Ah! Monsieur Figaro, que je suis aise de vous voir!

FIGARO

Votre santé, Madame ?

ROSINE

Pas trop bonne, Monsieur Figaro. L'ennui me tue.

FIGARO

Je le crois ; il n'engraisse que les sots.

ROSINE

Avec qui parliez-vous donc là-bas si vivement ? Je n'entendais pas, mais...

FIGARO

Avec un jeune Bachelier de mes parents, de la plus grande espérance, plein d'esprit, de sentiments, de talents, et d'une figure fort revenante.

ROSINE

Oh ! tout à fait bien, je vous assure ! Il se nomme ?...

FIGARO

Lindor. Il n'a rien. Mais, s'il n'eût pas quitté brusquement Madrid, il pouvait y trouver quelque bonne place.

ROSINE

Il en trouvera, Monsieur Figaro, il en trouvera. Un jeune homme tel que vous le dépeignez n'est pas fait pour rester inconnu.

FIGARO, *à part.*

Fort bien. *(Haut.)* Mais il a un grand défaut, qui nuira toujours à son avancement.

ROSINE

Un défaut, Monsieur Figaro! Un défaut! en êtes-vous bien sûr?

FIGARO

Il est amoureux.

ROSINE

Il est amoureux! et vous appelez cela un défaut?

FIGARO

À la vérité, ce n'en est un que relativement à sa mauvaise fortune.

ROSINE

Ah! que le sort est injuste! Et nomme-t-il la personne qu'il aime? Je suis d'une curiosité...

FIGARO

Vous êtes la dernière, Madame, à qui je voudrais faire une confidence de cette nature.

ROSINE, *vivement.*

Pourquoi, Monsieur Figaro? Je suis discrète; ce jeune homme vous appartient, il m'intéresse infiniment... Dites donc...

FIGARO, *la regardant finement.*

Figurez-vous la plus jolie petite mignonne, douce, tendre, accorte et fraîche, agaçant l'appétit, pied furtif, taille adroite, élancée, bras dodus, bouche rosée, et des mains! des joues, des dents! des yeux!...

ROSINE

Qui reste en cette Ville?

FIGARO

En ce quartier.

ROSINE

Dans cette rue peut-être?

FIGARO

À deux pas de moi.

ROSINE

Ah! que c'est charmant... pour Monsieur votre parent. Et cette personne est?...

FIGARO

Je ne l'ai pas nommée?

ROSINE, *vivement.*

C'est la seule chose que vous ayez oubliée, Monsieur Figaro. Dites donc, dites donc vite; si l'on rentrait, je ne pourrais plus savoir...

FIGARO

Vous le voulez absolument, Madame? Eh bien! cette personne est... la Pupille de votre Tuteur.

ROSINE

La Pupille?...

FIGARO

Du Docteur Bartholo, oui, Madame.

ROSINE, *avec émotion.*

Ah! Monsieur Figaro... je ne vous crois pas, je vous assure.

FIGARO

Et c'est ce qu'il brûle de venir vous persuader lui-même.

ROSINE

Vous me faites trembler, Monsieur Figaro.

FIGARO

Fi donc, trembler! mauvais calcul, Madame; quand on cède à la peur du mal, on ressent déjà le mal de la peur. D'ailleurs, je viens de vous débarrasser de tous vos surveillants, jusqu'à demain.

ROSINE

S'il m'aime, il doit me le prouver en restant absolument tranquille.

FIGARO

Eh! Madame, amour et repos peuvent-ils habiter en même cœur? La pauvre jeunesse est si malheureuse aujourd'hui, qu'elle n'a que ce terrible choix : amour sans repos, ou repos sans amour.

ROSINE, *baissant les yeux.*

Repos sans amour... paraît...

FIGARO

Ah! bien languissant. Il semble, en effet, qu'amour sans repos se présente de meilleure grâce; et pour moi, si j'étais femme...

ROSINE, *avec embarras.*

Il est certain qu'une jeune personne ne peut empêcher un honnête homme de l'estimer.

FIGARO

Aussi mon parent vous estime-t-il infiniment.

ROSINE

Mais s'il allait faire quelque imprudence, Monsieur Figaro, il nous perdrait.

FIGARO, *à part.*

Il nous perdrait! *(Haut.)* Si vous le lui défendiez expressément par une petite lettre... Une lettre a bien du pouvoir.

ROSINE *lui donne la lettre qu'elle vient d'écrire.*

Je n'ai pas le temps de recommencer celle-ci, mais en la lui donnant, dites-lui... dites-lui bien... *(Elle écoute.)*

FIGARO

Personne, Madame.

ROSINE

Que c'est par pure amitié tout ce que je fais.

FIGARO

Cela parle de soi. Tudieu! l'Amour a bien une autre allure!

ROSINE

Que par pure amitié, entendez-vous. Je crains seulement que, rebuté par les difficultés...

FIGARO

Oui, quelque feu follet. Souvenez-vous, Madame, que le vent qui éteint une lumière allume un brasier, et que nous sommes ce brasier-là. D'en parler seulement, il exhale un tel feu qu'il m'a presque enfiévré de sa passion, moi qui n'y ai que voir.

ROSINE

Dieux ! J'entends mon Tuteur. S'il vous trouvait ici... Passez par le cabinet du clavecin, et descendez le plus doucement que vous pourrez.

FIGARO

Soyez tranquille. *(À part.)* Voici qui vaut mieux que mes observations. *(Il entre dans le cabinet.)*

## SCÈNE III

ROSINE, *seule.*

Je meurs d'inquiétude jusqu'à ce qu'il soit dehors... Que je l'aime, ce bon Figaro ! C'est un bien honnête homme, un bon parent ! Ah ! voilà mon tyran ; reprenons mon ouvrage. *(Elle souffle la bougie[25], s'assied, et prend une broderie au tambour.)*

## SCÈNE IV

BARTHOLO, ROSINE

BARTHOLO, *en colère.*

Ah ! malédiction ! l'enragé, le scélérat corsaire de Figaro ! Là, peut-on sortir un moment de chez soi sans être sûr en rentrant...

ROSINE

Qui vous met donc si fort en colère, Monsieur ?

BARTHOLO

Ce damné Barbier qui vient d'écloper toute ma maison, en un tour de main. Il donne un narcotique à L'Éveillé, un sternutatoire[26] à La Jeunesse ; il saigne au pied Marceline ; il n'y a pas jusqu'à ma mule… sur les yeux d'une pauvre bête aveugle, un cataplasme ! Parce qu'il me doit cent écus, il se presse de faire des mémoires. Ah ! qu'il les apporte ! Et personne à l'antichambre ! On arrive à cet appartement comme à la place d'armes.

ROSINE

Et qui peut y pénétrer que vous, Monsieur ?

BARTHOLO

J'aime mieux craindre sans sujet que de m'exposer sans précaution ; tout est plein de gens entreprenants, d'audacieux… N'a-t-on pas ce matin encore ramassé lestement votre chanson pendant que j'allais la chercher ? Oh ! Je…

ROSINE

C'est bien mettre à plaisir de l'importance à tout ! Le vent peut avoir éloigné ce papier, le premier venu, que sais-je ?

BARTHOLO

Le vent, le premier venu !… Il n'y a point de vent, Madame, point de premier venu dans le monde ; et c'est toujours quelqu'un posté là exprès qui ramasse les papiers qu'une femme a l'air de laisser tomber par mégarde.

ROSINE

A l'air, Monsieur ?

BARTHOLO

Oui, Madame, a l'air.

ROSINE, *à part.*

Oh ! le méchant vieillard !

BARTHOLO

Mais tout cela n'arrivera plus, car je vais faire sceller cette grille.

ROSINE

Faites mieux, murez mes fenêtres tout d'un coup. D'une prison à un cachot, la différence est si peu de chose !

BARTHOLO

Pour celles qui donnent sur la rue, ce ne serait peut-être pas si mal... Ce Barbier n'est pas entré chez vous, au moins !

ROSINE

Vous donne-t-il aussi de l'inquiétude ?

BARTHOLO

Tout comme un autre.

ROSINE

Que vos répliques sont honnêtes !

BARTHOLO

Ah ! fiez-vous à tout le monde, et vous aurez bientôt à la maison une bonne femme pour vous tromper, de bons amis pour vous la souffler et de bons valets pour les y aider.

ROSINE

Quoi! vous n'accordez pas même qu'on ait des principes contre la séduction de Monsieur Figaro?

BARTHOLO

Qui diable entend quelque chose à la bizarrerie des femmes, et combien j'en ai vu de ces vertus à principes...

ROSINE, *en colère.*

Mais, Monsieur, s'il suffit d'être homme pour nous plaire, pourquoi donc me déplaisez-vous si fort?

BARTHOLO, *stupéfait.*

Pourquoi?... Pourquoi?... Vous ne répondez pas à ma question sur ce Barbier.

ROSINE, *outrée.*

Eh bien oui, cet homme est entré chez moi, je l'ai vu, je lui ai parlé. Je ne vous cache pas même que je l'ai trouvé fort aimable; et puissiez-vous en mourir de dépit! *(Elle sort.)*


SCÈNE V

BARTHOLO, *seul.*

Oh! les juifs[27]! les chiens de valets! La Jeunesse? L'Éveillé? L'Éveillé maudit!

## SCÈNE VI

### BARTHOLO, L'ÉVEILLÉ

L'ÉVEILLÉ *arrive en bâillant, tout endormi.*

Aah, aah, ah, ah...

### BARTHOLO

Où étais-tu, peste d'étourdi, quand ce Barbier est entré ici?

### L'ÉVEILLÉ

Monsieur, j'étais... ah, aah, ah...

### BARTHOLO

À machiner quelque espièglerie sans doute? Et tu ne l'as pas vu?

### L'ÉVEILLÉ

Sûrement je l'ai vu, puisqu'il m'a trouvé tout malade, à ce qu'il dit; et faut bien que ça soit vrai, car j'ai commencé à me douloir[28] dans tous les membres, rien qu'en l'en entendant parl... Ah, ah, aah...

### BARTHOLO *le contrefait.*

Rien qu'en l'en entendant!... Où donc est ce vaurien de La Jeunesse? Droguer ce petit garçon sans mon ordonnance! Il y a quelque friponnerie là-dessous.

## SCÈNE VII

LES ACTEURS PRÉCÉDENTS,
LA JEUNESSE *arrive en vieillard,
avec une canne en béquille;
il éternue plusieurs fois.*

L'ÉVEILLÉ, *toujours bâillant.*

La Jeunesse?

BARTHOLO

Tu éternueras dimanche.

LA JEUNESSE

Voilà plus de cinquante... cinquante fois... dans un moment! *(Il éternue.)* Je suis brisé.

BARTHOLO

Comment! Je vous demande à tous deux s'il est entré quelqu'un chez Rosine, et vous ne me dites pas que ce Barbier...

L'ÉVEILLÉ, *continuant de bâiller.*

Est-ce que c'est quelqu'un donc, Monsieur Figaro? Aah, ah...

BARTHOLO

Je parie que le rusé s'entend avec lui.

L'ÉVEILLÉ, *pleurant comme un sot.*

Moi... Je m'entends!...

LA JEUNESSE, *éternuant.*

Eh mais, Monsieur, y a-t-il… y a-t-il de la justice?…

BARTHOLO

De la justice! C'est bon entre vous autres misé-
rables, la justice! Je suis votre maître, moi, pour avoir
toujours raison.

LA JEUNESSE, *éternuant.*

Mais, pardi, quand une chose est vraie…

BARTHOLO

Quand une chose est vraie! Si je ne veux pas
qu'elle soit vraie, je prétends bien qu'elle ne soit pas
vraie. Il n'y aurait qu'à permettre à tous ces faquins-là
d'avoir raison, vous verriez bientôt ce que deviendrait
l'autorité.

LA JEUNESSE, *éternuant.*

J'aime autant recevoir mon congé. Un service
pénible, et toujours un train d'enfer.

L'ÉVEILLÉ, *pleurant.*

Un pauvre homme de bien est traité comme un
misérable.

BARTHOLO

Sors donc, pauvre homme de bien. *(Il les contrefait.)*
Et t'chi et t'cha; l'un m'éternue au nez, l'autre m'y
bâille.

LA JEUNESSE

Ah! Monsieur, je vous jure que sans Mademoiselle,
il n'y aurait… il n'y aurait pas moyen de rester dans la
maison. *(Il sort en éternuant.)*

BARTHOLO

uel état ce Figaro les a mis tous! Je vois ce que c'est : le maraud voudrait me payer mes cent écus sans bourse délier.

## SCÈNE VIII

BARTHOLO, DON BAZILE ;
FIGARO, *caché dans le cabinet,*
*paraît de temps en temps, et les écoute.*

BARTHOLO *continue.*

Ah! Don Bazile, vous veniez donner à Rosine sa leçon de musique?

BAZILE

C'est ce qui presse le moins.

BARTHOLO

J'ai passé chez vous sans vous trouver.

BAZILE

J'étais sorti pour vos affaires. Apprenez une nouvelle assez fâcheuse.

BARTHOLO

Pour vous?

BAZILE

Non, pour vous. Le Comte Almaviva est dans cette Ville.

BARTHOLO

Parlez bas. Celui qui faisait chercher Rosine dans tout Madrid?

BAZILE

Il loge à la grande place et sort tous les jours,
déguisé.

BARTHOLO

Il n'en faut point douter, cela me regarde. Et que
faire ?

BAZILE

Si c'était un particulier, on viendrait à bout de
l'écarter.

BARTHOLO

Oui, en s'embusquant le soir, armé, cuirassé...

BAZILE

*Bone Deus !* Se compromettre ! Susciter une méchante
affaire, à la bonne heure, et, pendant la fermentation,
calomnier à dire d'Experts[29] : *concedo*[30].

BARTHOLO

Singulier moyen de se défaire d'un homme !

BAZILE

La calomnie[31], Monsieur ? Vous ne savez guère ce
que vous dédaignez ; j'ai vu les plus honnêtes gens
près d'en être accablés. Croyez qu'il n'y a pas de plate
méchanceté, pas d'horreurs, pas de conte absurde,
qu'on ne fasse adopter aux oisifs d'une grande Ville,
en s'y prenant bien ; et nous avons ici des gens d'une
adresse !... D'abord un bruit léger, rasant le sol
comme hirondelle avant l'orage, *pianissimo*[32] mur-
mure et file, et sème en courant le trait empoisonné.
Telle bouche le recueille, et *piano, piano*[33] vous le
glisse en l'oreille adroitement. Le mal est fait, il

germe, il rampe, il chemine, et *rinforzando*[34] de bouche en bouche il va le diable; puis tout à coup, ne sais comment, vous voyez Calomnie se dresser, siffler, s'enfler, grandir à vue d'œil; elle s'élance, étend son vol, tourbillonne, enveloppe, arrache, entraîne, éclate et tonne, et devient, grâce au Ciel, un cri général, un *crescendo* public, un *chorus* universel de haine et de proscription. — Qui diable y résisterait?

BARTHOLO

Mais quel radotage me faites-vous donc là, Bazile? Et quel rapport ce *piano-crescendo* peut-il avoir à ma situation?

BAZILE

Comment, quel rapport? Ce qu'on fait partout, pour écarter son ennemi, il faut le faire ici pour empêcher le vôtre d'approcher.

BARTHOLO

D'approcher? Je prétends bien épouser Rosine avant qu'elle apprenne seulement que ce Comte existe.

BAZILE

En ce cas, vous n'avez pas un instant à perdre.

BARTHOLO

Et à qui tient-il, Bazile? Je vous ai chargé de tous les détails de cette affaire.

BAZILE

Oui. Mais vous avez lésiné sur les frais, et, dans l'harmonie du bon ordre, un mariage inégal, un jugement inique, un passe-droit évident, sont des dissonances qu'on doit toujours préparer et sauver par l'accord parfait de l'or.

BARTHOLO, *lui donnant de l'argent.*

Il faut en passer par où vous voulez ; mais finissons.

BAZILE

Cela s'appelle parler. Demain tout sera terminé ; c'est à vous d'empêcher que personne, aujourd'hui, ne puisse instruire la Pupille.

BARTHOLO

Fiez-vous-en à moi. Viendrez-vous ce soir, Bazile ?

BAZILE

N'y comptez pas. Votre mariage seul m'occupera toute la journée ; n'y comptez pas.

BARTHOLO *l'accompagne.*

Serviteur[35].

BAZILE

Restez, Docteur, restez donc.

BARTHOLO

Non pas. Je veux fermer sur vous la porte de la rue.


## SCÈNE IX

FIGARO, *seul, sortant du cabinet.*

Oh ! la bonne précaution ! Ferme, ferme la porte de la rue, et moi je vais la rouvrir au Comte en sortant. C'est un grand maraud que ce Bazile ! heureusement il est encore plus sot. Il faut un état, une famille, un nom, un rang, de la consistance enfin, pour faire sensation dans le monde en calomniant. Mais un Bazile ! il médirait qu'on ne le croirait pas.

## SCÈNE X

ROSINE, *accourant ;* FIGARO.

#### ROSINE

Quoi ! vous êtes encore là, Monsieur Figaro ?

#### FIGARO

Très heureusement pour vous, Mademoiselle. Votre Tuteur et votre Maître de Musique, se croyant seuls ici, viennent de parler à cœur ouvert...

#### ROSINE

Et vous les avez écoutés, Monsieur Figaro ? Mais savez-vous que c'est fort mal ?

#### FIGARO

D'écouter ? C'est pourtant tout ce qu'il y a de mieux pour bien entendre. Apprenez que votre Tuteur se dispose à vous épouser demain.

#### ROSINE

Ah ! grands Dieux !

#### FIGARO

Ne craignez rien, nous lui donnerons tant d'ouvrage, qu'il n'aura pas le temps de songer à celui-là.

#### ROSINE

Le voici qui revient ; sortez donc par le petit escalier. Vous me faites mourir de frayeur. *(Figaro s'enfuit.)*

## SCÈNE XI

BARTHOLO, ROSINE

ROSINE

Vous étiez ici avec quelqu'un, Monsieur?

BARTHOLO

Don Bazile que j'ai reconduit, et pour cause.
Vous eussiez mieux aimé que c'eût été Monsieur
Figaro?

ROSINE

Cela m'est fort égal, je vous assure.

BARTHOLO

Je voudrais bien savoir ce que ce Barbier avait de si
pressé à vous dire?

ROSINE

Faut-il parler sérieusement? Il m'a rendu compte
de l'état de Marceline, qui même n'est pas trop bien,
à ce qu'il dit.

BARTHOLO

Vous rendre compte! Je vais parier qu'il était
chargé de vous remettre quelque lettre.

ROSINE

Et de qui, s'il vous plaît?

BARTHOLO

Oh! de qui! De quelqu'un que les femmes ne

nomment jamais. Que sais-je, moi? Peut-être la réponse au papier de la fenêtre.

ROSINE, *à part.*

Il n'en a pas manqué une seule. *(Haut.)* Vous mériteriez bien que cela fût.

BARTHOLO *regarde les mains de Rosine.*

Cela est. Vous avez écrit.

ROSINE, *avec embarras.*

Il serait assez plaisant que vous eussiez le projet de m'en faire convenir.

BARTHOLO, *lui prenant la main droite.*

Moi! point du tout; mais votre doigt encore taché d'encre! hein? rusée Signora!

ROSINE, *à part.*

Maudit homme!

BARTHOLO, *lui tenant toujours la main.*

Une femme se croit bien en sûreté parce qu'elle est seule.

ROSINE

Ah! sans doute... La belle preuve!... Finissez donc, Monsieur, vous me tordez le bras. Je me suis brûlée en chiffonnant[36] autour de cette bougie, et l'on m'a toujours dit qu'il fallait aussitôt tremper dans l'encre; c'est ce que j'ai fait.

BARTHOLO

C'est ce que vous avez fait? Voyons donc si un second témoin confirmera la déposition du premier. C'est ce cahier de papier où je suis certain qu'il y avait

six feuilles ; car je les compte tous les matins, aujour-
d'hui encore.

ROSINE, *à part.*

Oh ! imbécile !

BARTHOLO, *comptant.*

Trois, quatre, cinq...

ROSINE

La sixième...

BARTHOLO

Je vois bien qu'elle n'y est pas, la sixième.

ROSINE, *baissant les yeux.*

La sixième, je l'ai employée à faire un cornet pour
des bonbons que j'ai envoyés à la petite Figaro.

BARTHOLO

À la petite Figaro ? Et la plume qui était toute
neuve, comment est-elle devenue noire ? est-ce en
écrivant l'adresse de la petite Figaro ?

ROSINE, *à part.*

Cet homme a un instinct de jalousie !... *(Haut.)*
Elle m'a servi à retracer une fleur effacée sur la veste
que je vous brode au tambour.

BARTHOLO

Que cela est édifiant ! Pour qu'on vous crût, mon
enfant, il faudrait ne pas rougir en déguisant coup
sur coup la vérité ; mais c'est ce que vous ne savez pas
encore.

ROSINE

Eh! qui ne rougirait pas, Monsieur, de voir tirer des conséquences aussi malignes des choses le plus innocemment faites?

BARTHOLO

Certes, j'ai tort; se brûler le doigt, le tremper dans l'encre, faire des cornets aux bonbons pour la petite Figaro, et dessiner ma veste au tambour! quoi de plus innocent? Mais que de mensonges entassés pour cacher un seul fait!... *Je suis seule, on ne me voit point; je pourrai mentir à mon aise*; mais le bout du doigt reste noir, la plume est tachée, le papier manque; on ne saurait penser à tout. Bien certainement, Signora, quand j'irai par la Ville, un bon double tour me répondra de vous.

## SCÈNE XII

LE COMTE, BARTHOLO, ROSINE

LE COMTE, *en uniforme de cavalerie, ayant l'air d'être entre deux vins et chantant :*

Réveillons-la, etc.

BARTHOLO

Mais que nous veut cet homme? Un soldat! Rentrez chez vous, Signora.

LE COMTE *chante :*

Réveillons-la, *et s'avance vers Rosine.* — Qui de vous deux, Mesdames, se nomme le Docteur Balordo? *(À Rosine, bas.)* Je suis Lindor.

### BARTHOLO

Bartholo !

### ROSINE, *à part.*

Il parle de Lindor.

### LE COMTE

Balordo, Barque à l'eau, je m'en moque comme de ça. Il s'agit seulement de savoir laquelle des deux… *(À Rosine, lui montrant un papier.)* Prenez cette lettre.

### BARTHOLO

Laquelle ! vous voyez bien que c'est moi ! Laquelle ! Rentrez donc, Rosine, cet homme paraît avoir du vin.

### ROSINE

C'est pour cela, Monsieur ; vous êtes seul. Une femme en impose quelquefois.

### BARTHOLO

Rentrez, rentrez ; je ne suis pas timide.

## SCÈNE XIII

### LE COMTE, BARTHOLO

### LE COMTE

Oh ! Je vous ai reconnu d'abord à votre signalement.

### BARTHOLO, *au Comte, qui serre la lettre.*

Qu'est-ce que c'est donc que vous cachez là dans votre poche ?

LE COMTE

Je le cache dans ma poche pour que vous ne sachiez pas ce que c'est.

BARTHOLO

Mon signalement? Ces gens-là croient toujours parler à des soldats!

LE COMTE

Pensez-vous que ce soit une chose si difficile à faire que votre signalement?

> Le chef branlant, la tête chauve,
> Les yeux vairons, le regard fauve,
> L'air farouche d'un algonquin...

BARTHOLO

Qu'est-ce que cela veut dire? Êtes-vous ici pour m'insulter? Délogez à l'instant.

LE COMTE

Déloger! Ah, fi! que c'est mal parler! Savez-vous lire, Docteur... Barbe à l'eau?

BARTHOLO

Autre question saugrenue.

LE COMTE

Oh! que cela ne vous fasse point de peine, car, moi qui suis pour le moins aussi Docteur que vous...

BARTHOLO

Comment cela?

LE COMTE

Est-ce que je ne suis pas le médecin des chevaux du

Régiment? Voilà pourquoi l'on m'a exprès logé chez un confrère.

BARTHOLO

Oser comparer un maréchal!...

LE COMTE

Air : *Vive le vin*[37].

*Sans chanter.* { Non, Docteur, je ne prétends pas
Que notre art obtienne le pas
Sur Hippocrate et sa brigade

*En chantant.* { Votre savoir, mon camarade,
Est d'un succès plus général ;
Car, s'il n'emporte point le mal,
Il emporte au moins le malade.

C'est-il poli, ce que je vous dis là ?

BARTHOLO

Il vous sied bien, manipuleur ignorant, de ravaler ainsi le premier, le plus grand et le plus utile des arts !

LE COMTE

Utile tout à fait pour ceux qui l'exercent.

BARTHOLO

Un art dont le soleil s'honore d'éclairer les succès.

LE COMTE

Et dont la terre s'empresse de couvrir les bévues.

BARTHOLO

On voit bien, malappris, que vous n'êtes habitué de parler qu'à des chevaux.

LE COMTE

Parler à des chevaux? Ah, Docteur, pour un Docteur d'esprit... N'est-il pas de notoriété que le Maréchal guérit toujours ses malades sans leur parler; au lieu que le Médecin parle toujours aux siens...

BARTHOLO

Sans les guérir, n'est-ce pas?

LE COMTE

C'est vous qui l'avez dit.

BARTHOLO

Qui diable envoie ici ce maudit ivrogne?

LE COMTE

Je crois que vous me lâchez des épigrammes, l'Amour!

BARTHOLO

Enfin, que voulez-vous, que demandez-vous?

LE COMTE, *feignant une grande colère.*

Eh bien donc, il s'enflamme! Ce que je veux? Est-ce que vous ne le voyez pas?

## SCÈNE XIV

ROSINE, LE COMTE, BARTHOLO

ROSINE, *accourant.*

Monsieur le Soldat, ne vous emportez point, de grâce! (*À Bartholo.*) Parlez-lui doucement, Monsieur; un homme qui déraisonne.

LE COMTE

Vous avez raison ; il déraisonne, lui, mais nous sommes raisonnables, nous ! Moi poli, et vous jolie... enfin suffit. La vérité, c'est que je ne veux avoir affaire qu'à vous dans la maison.

ROSINE

Que puis-je pour votre service, Monsieur le Soldat ?

LE COMTE

Une petite bagatelle, mon enfant. Mais s'il y a de l'obscurité dans mes phrases...

ROSINE

J'en saisirai l'esprit.

LE COMTE, *lui montrant la lettre.*

Non, attachez-vous à la lettre, à la lettre. Il s'agit seulement... mais je dis en tout bien, tout honneur, que vous me donniez à coucher, ce soir.

BARTHOLO

Rien que cela ?

LE COMTE

Pas davantage. Lisez le billet doux que notre Maréchal des Logis vous écrit.

BARTHOLO

Voyons. *(Le Comte cache la lettre et lui donne un autre papier. Bartholo lit.)* « Le Docteur Bartholo recevra, nourrira, hébergera, couchera... »

LE COMTE, *appuyant.*

Couchera.

BARTHOLO

«Pour une nuit seulement, le nommé Lindor, dit
L'Écolier, Cavalier au Régiment...»

ROSINE

C'est lui, c'est lui-même.

BARTHOLO, *vivement, à Rosine.*

Qu'est-ce qu'il y a?

LE COMTE

Eh bien, ai-je tort, à présent, Docteur Barbaro?

BARTHOLO

On dirait que cet homme se fait un malin plaisir de
m'estropier de toutes les manières possibles. Allez au
diable! Barbaro! Barbe à l'eau! et dites à votre
impertinent Maréchal des Logis que, depuis mon
voyage à Madrid, je suis exempt de loger des gens de
guerre.

LE COMTE, *à part.*

Ô Ciel! fâcheux contretemps!

BARTHOLO

Ah! ah! notre ami, cela vous contrarie et vous
dégrise un peu! Mais n'en décampez pas moins à
l'instant.

LE COMTE, *à part.*

J'ai pensé me trahir! *(Haut.)* Décamper! Si vous
êtes exempt des gens de guerre, vous n'êtes pas
exempt de politesse, peut-être? Décamper! Montrez-
moi votre brevet d'exemption; quoique je ne sache
pas lire, je verrai bientôt...

BARTHOLO

Qu'à cela ne tienne. Il est dans ce bureau.

LE COMTE, *pendant qu'il y va, dit, sans quitter sa place.*

Ah ! ma belle Rosine !

ROSINE

Quoi, Lindor, c'est vous ?

LE COMT*

Recevez au moins cette lettre

ROSINE

Prenez garde, il a les yeux sur nous.

LE COMTE

Tirez votre mouchoir, je la laisserai tomber. *(Il s'approche.)*

BARTHOLO

Doucement, doucement, Seigneur Soldat, je n'aime point qu'on regarde ma femme de si près.

LE COMTE

Elle est votre femme ?

BARTHOLO

Eh ! quoi donc ?

LE COMTE

Je vous ai pris pour son bisaïeul paternel, maternel, sempiternel ; il y a au moins trois générations entre elle et vous.

BARTHOLO *lit un parchemin.*

«Sur les bons et fidèles témoignages qui nous ont été rendus...»

LE COMTE *donne un coup de main sous les parchemins, qui les envoie au plancher.*

Est-ce que j'ai besoin de tout ce verbiage?

BARTHOLO

Savez-vous bien, Soldat, que si j'appelle mes gens, je vous fais traiter sur-le-champ comme vous le méritez?

LE COMTE

Bataille? Ah! volontiers. Bataille! c'est mon métier à moi. *(Montrant son pistolet de ceinture.)* Et voici de quoi leur jeter de la poudre aux yeux. Vous n'avez peut-être jamais vu de Bataille, Madame?

ROSINE

Ni ne veux en voir.

LE COMTE

Rien n'est pourtant aussi gai que Bataille. Figurez-vous *(poussant le Docteur)* d'abord que l'ennemi est d'un côté du ravin, et les amis de l'autre. *(À Rosine, en lui montrant la lettre.)* Sortez le mouchoir. *(Il crache à terre.)* Voilà le ravin, cela s'entend.

Rosine tire son mouchoir, le Comte laisse tomber sa lettre entre elle et lui.

BARTHOLO, *se baissant.*

Ah! ah!

LE COMTE *la reprend et dit.*

Tenez... moi qui allais vous apprendre ici les
secrets de mon métier... Une femme bien discrète en
vérité! Ne voilà-t-il pas un billet doux qu'elle laisse
tomber de sa poche?

BARTHOLO

Donnez, donnez.

LE COMTE

*Dulciter*[38], Papa! chacun son affaire. Si une ordonnance de rhubarbe était tombée de la vôtre?

ROSINE *avance la main.*

Ah! je sais ce que c'est, Monsieur le Soldat. *(Elle
prend la lettre, qu'elle cache dans la petite poche de son
tablier.)*

BARTHOLO

Sortez-vous enfin?

LE COMTE

Eh bien, je sors; adieu, Docteur; sans rancune. Un
petit compliment, mon cœur: priez la mort de m'oublier encore quelques campagnes; la vie ne m'a
jamais été si chère.

BARTHOLO

Allez toujours, si j'avais ce crédit-là sur la mort...

LE COMTE

Sur la mort? Ah! Docteur! Vous faites tant de
choses pour elle, qu'elle n'a rien à vous refuser. *(Il
sort.)*

## SCÈNE XV

BARTHOLO, ROSINE

BARTHOLO *le regarde aller.*

Il est enfin parti. *(À part.)* Dissimulons.

ROSINE

Convenez pourtant, Monsieur, qu'il est bien gai ce
jeune Soldat! À travers son ivresse, on voit qu'il ne
manque ni d'esprit, ni d'une certaine éducation.

BARTHOLO

Heureux, m'amour, d'avoir pu nous en délivrer!
mais n'es-tu pas un peu curieuse de lire avec moi le
papier qu'il t'a remis?

ROSINE

Quel papier?

BARTHOLO

Celui qu'il a feint de ramasser pour te le faire
accepter.

ROSINE

Bon! c'est la lettre de mon cousin l'Officier, qui
était tombée de ma poche.

BARTHOLO

J'ai idée, moi, qu'il l'a tirée de la sienne.

ROSINE

Je l'ai très bien reconnue.

BARTHOLO

Qu'est-ce qu'il coûte d'y regarder?

ROSINE

Je ne sais pas seulement ce que j'en ai fait.

BARTHOLO, *montrant la pochette.*

Tu l'as mise là.

ROSINE

Ah! ah! par distraction.

BARTHOLO

Ah! sûrement. Tu vas voir que ce sera quelque folie.

ROSINE, *à part.*

Si je ne le mets pas en colère, il n'y aura pas moyen de refuser.

BARTHOLO

Donne donc, mon cœur.

ROSINE

Mais quelle idée avez-vous en insistant, Monsieur? Est-ce encore quelque méfiance?

BARTHOLO

Mais, vous, quelle raison avez-vous de ne pas le montrer?

ROSINE

Je vous répète, Monsieur, que ce papier n'est autre que la lettre de mon cousin, que vous m'avez rendue hier toute décachetée; et puisqu'il en est question, je vous dirai tout net que cette liberté me déplaît excessivement.

#### BARTHOLO

Je ne vous entends pas !

#### ROSINE

Vais-je examiner les papiers qui vous arrivent ? Pourquoi vous donnez-vous les airs de toucher à ceux qui me sont adressés ? Si c'est jalousie, elle m'insulte ; s'il s'agit de l'abus d'une autorité usurpée, j'en suis plus révoltée encore.

#### BARTHOLO

Comment, révoltée ! Vous ne m'avez jamais parlé ainsi.

#### ROSINE

Si je me suis modérée jusqu'à ce jour, ce n'était pas pour vous donner le droit de m'offenser impunément.

#### BARTHOLO

De quelle offense parlez-vous ?

#### ROSINE

C'est qu'il est inouï qu'on se permette d'ouvrir les lettres de quelqu'un.

#### BARTHOLO

De sa femme ?

#### ROSINE

Je ne la suis pas encore. Mais pourquoi lui donnerait-on la préférence d'une indignité qu'on ne fait à personne ?

BARTHOLO

Vous voulez me faire prendre le change et détourner mon attention du billet, qui, sans doute, est une missive de quelque amant! mais je le verrai, je vous assure.

ROSINE

Vous ne le verrez pas. Si vous m'approchez, je m'enfuis de cette maison, et je demande retraite au premier venu.

BARTHOLO

Qui ne vous recevra point.

ROSINE

C'est ce qu'il faudra voir.

BARTHOLO

Nous ne sommes pas ici en France, où l'on donne toujours raison aux femmes; mais, pour vous en ôter la fantaisie, je vais fermer la porte.

ROSINE, *pendant qu'il y va.*

Ah Ciel! que faire?... Mettons vite à la place la lettre de mon cousin, et donnons-lui beau jeu à la prendre. (*Elle fait l'échange, et met la lettre du cousin dans sa pochette, de façon qu'elle sorte un peu.*)

BARTHOLO, *revenant.*

Ah! j'espère maintenant la voir.

ROSINE

De quel droit, s'il vous plaît?

### BARTHOLO

Du droit le plus universellement reconnu, celui du plus fort.

### ROSINE

On me tuera plutôt que de l'obtenir de moi.

### BARTHOLO, *frappant du pied.*

Madame! Madame!...

### ROSINE *tombe sur un fauteuil et feint de se trouver mal.*

Ah! quelle indignité!...

### BARTHOLO

Donnez cette lettre, ou craignez ma colère.

### ROSINE, *renversée.*

Malheureuse Rosine!

### BARTHOLO

Qu'avez-vous donc?

### ROSINE

Quel avenir affreux!

### BARTHOLO

Rosine!

### ROSINE

J'étouffe de fureur!

### BARTHOLO

Elle se trouve mal.

ROSINE

Je m'affaiblis, je meurs.

BARTHOLO, *à part.*

Dieux ! la lettre ! Lisons-la sans qu'elle en soit ins-
truite. (*Il lui tâte le pouls et prend la lettre qu'il tâche de lire
en se tournant un peu.*)

ROSINE, *toujours renversée.*

Infortunée ! ah !...

BARTHOLO *lui quitte le bras, et dit à part.*

Quelle rage a-t-on d'apprendre ce qu'on craint toujours de savoir !

ROSINE

Ah ! pauvre Rosine !

BARTHOLO

L'usage des odeurs[39]... produit ces affections spas-
modiques. (*Il lit par derrière le fauteuil, en lui tâtant le
pouls. Rosine se relève un peu, le regarde finement, fait un
geste de tête, et se remet sans parler.*)

BARTHOLO, *à part.*

Ô Ciel ! c'est la lettre de son cousin. Maudite
inquiétude ! Comment l'apaiser maintenant ? Qu'elle
ignore au moins que je l'ai lue ! (*Il fait semblant de la
soutenir et remet la lettre dans la pochette.*)

ROSINE *soupire.*

Ah !...

BARTHOLO

Eh bien ! ce n'est rien, mon enfant ; un petit mou-

vement de vapeurs, voilà tout ; car ton pouls n'a seulement pas varié. (*Il va prendre un flacon sur la console.*)

ROSINE, *à part.*

Il a remis la lettre : fort bien !

BARTHOLO

Ma chère Rosine, un peu de cette eau spiri-
tueuse[40].

ROSINE

Je ne veux rien de vous ; laissez-moi.

BARTHOLO

Je conviens que j'ai montré trop de vivacité sur ce
billet.

ROSINE

Il s'agit bien du billet. C'est votre façon de demander les choses qui est révoltante.

BARTHOLO, *à genoux.*

Pardon ; j'ai bientôt senti tous mes torts, et tu me
vois à tes pieds, prêt à les réparer.

ROSINE

Oui, pardon ! lorsque vous croyez que cette lettre
ne vient pas de mon cousin.

BARTHOLO

Qu'elle soit d'un autre ou de lui, je ne veux aucun
éclaircissement.

ROSINE, *lui présentant la lettre.*

Vous voyez qu'avec de bonnes façons, on obtient
tout de moi. Lisez-la.

BARTHOLO

Cet honnête procédé dissiperait mes soupçons si j'étais assez malheureux pour en conserver.

ROSINE

Lisez-la donc, Monsieur.

BARTHOLO *se retire.*

À Dieu ne plaise que je te fasse une pareille injure!

ROSINE

Vous me contrariez de la refuser.

BARTHOLO

Reçois en réparation cette marque de ma parfaite confiance. Je vais voir la pauvre Marceline, que ce Figaro a, je ne sais pourquoi, saignée au pied; n'y viens-tu pas aussi?

ROSINE

J'y monterai dans un moment.

BARTHOLO

Puisque la paix est faite, mignonne, donne-moi ta main. Si tu pouvais m'aimer! ah, comme tu serais heureuse!

ROSINE, *baissant les yeux.*

Si vous pouviez me plaire, ah! comme je vous aimerais!

BARTHOLO

Je te plairai, je te plairai; quand je te dis que je te plairai! *(Il sort.)*

ROSINE *le regarde aller.*

Ah! Lindor! Il dit qu'il me plaira!... Lisons cette lettre qui a manqué de me causer tant de chagrin. *(Elle lit et s'écrie :)* Ah!... j'ai lu trop tard : il me recommande de tenir une querelle ouverte avec mon Tuteur; j'en avais une si bonne, et je l'ai laissée échapper! En recevant la lettre, j'ai senti que je rougissais jusqu'aux yeux. Ah! mon Tuteur a raison. Je suis bien loin d'avoir cet usage du monde, qui, me dit-il souvent, assure le maintien des femmes en toute occasion; mais un homme injuste parviendrait à faire une rusée de l'innocence même.

# ACTE III

## SCÈNE PREMIÈRE

BARTHOLO, *seul et désolé.*

Quelle humeur! quelle humeur! Elle paraissait apaisée… Là, qu'on me dise qui diable lui a fourré dans la tête de ne plus vouloir prendre leçon de Don Bazile! Elle sait qu'il se mêle de mon mariage… *(On heurte à la porte.)* Faites tout au monde pour plaire aux femmes; si vous omettez un seul petit point… je dis un seul… *(On heurte une seconde fois.)* Voyons qui c'est.

## SCÈNE II

BARTHOLO, LE COMTE *en Bachelier.*

### LE COMTE

Que la paix et la joie habitent toujours céans!

BARTHOLO, *brusquement.*

Jamais souhait ne vint plus à propos. Que voulez-vous?

LE COMTE

Monsieur, je suis Alonzo, Bachelier, Licencié…

BARTHOLO

Je n'ai pas besoin de Précepteur.

LE COMTE

… Élève de Don Bazile, Organiste du Grand Couvent, qui a l'honneur de montrer la Musique à Madame votre…

BARTHOLO

Bazile ! Organiste ! qui a l'honneur ! Je le sais, au fait.

LE COMTE

*(À part.)* Quel homme ! *(Haut.)* Un mal subit qui le force à garder le lit…

BARTHOLO

Garder le lit ! Bazile ! Il a bien fait d'envoyer ; je vais le voir à l'instant.

LE COMTE

*(À part.)* Oh diable ! *(Haut.)* Quand je dis le lit, Monsieur c'est… la chambre que j'entends.

BARTHOLO

Ne fût-il qu'incommodé… Marchez devant, je vous suis.

LE COMTE, *embarrassé.*

Monsieur, j'étais chargé… Personne ne peut-il nous entendre ?

BARTHOLO

*(À part.)* C'est quelque fripon. *(Haut.)* Eh! non,
Monsieur le mystérieux! Parlez sans vous troubler, si
vous pouvez.

LE COMTE

*(À part.)* Maudit vieillard! *(Haut.)* Don Bazile
m'avait chargé de vous apprendre…

BARTHOLO

Parlez haut, je suis sourd d'une oreille

LE COMTE, *élevant la voix.*

Ah! volontiers. Que le Comte Almaviva, qui restait
à la grande place…

BARTHOLO, *effraye.*

Parlez bas, parlez bas!

LE COMTE, *plus haut.*

… En est délogé ce matin. Comme c'est par moi
qu'il a su que le Comte Almaviva…

BARTHOLO

Bas; parlez bas; je vous prie.

LE COMTE, *du même ton.*

… Était en cette ville, et que j'ai découvert que la
Signora Rosine lui a écrit…

BARTHOLO

Lui a écrit? Tenez, asseyons-nous et jasons d'amitié. Vous avez découvert, dites-vous, que Rosine…

LE COMTE, *fièrement.*

Assurément. Bazile, inquiet pour vous de cette correspondance, m'avait prié de vous montrer sa lettre; mais la manière dont vous prenez les choses...

BARTHOLO

Eh! mon Dieu! je les prends bien. Mais ne vous est-il donc pas possible de parler plus bas?

LE COMTE

Vous êtes sourd d'une oreille, avez-vous dit.

BARTHOLO

Pardon, pardon, Seigneur Alonzo, si vous m'avez trouvé méfiant et dur; mais je suis tellement entouré d'intrigants, de pièges... Et puis votre tournure, votre âge, votre air... Pardon, pardon. Eh bien! vous avez la lettre?

LE COMTE

À la bonne heure sur ce ton, Monsieur; mais je crains qu'on ne soit aux écoutes.

BARTHOLO

Eh! qui voulez-vous? Tous mes Valets sur les dents! Rosine enfermée de fureur! Le diable est entré chez moi. Je vais encore m'assurer... *(Il va ouvrir doucement la porte de Rosine.)*

LE COMTE, *à part.*

Je me suis enferré de dépit... Garder la lettre à présent! Il faudra m'enfuir: autant vaudrait n'être pas venu... La lui montrer! Si je puis en prévenir Rosine, la montrer est un coup de maître.

BARTHOLO *revient sur la pointe des pieds.*

Elle est assise auprès de sa fenêtre, le dos tourné à la porte, occupée à relire une lettre de son cousin l'Officier, que j'avais décachetée... Voyons donc la sienne.

LE COMTE *lui remet la lettre de Rosine.*

La voici. *(À part.)* C'est ma lettre qu'elle relit.

BARTHOLO *lit.*

«*Depuis que vous m'avez appris votre nom et votre état.* » Ah ! la perfide, c'est bien là sa main.

LE COMTE, *effrayé.*

Parlez donc bas à votre tour.

BARTHOLO

Quelle obligation, mon cher !...

LE COMTE

Quand tout sera fini, si vous croyez m'en devoir, vous serez le maître... D'après un travail que fait actuellement Don Bazile avec un homme de Loi...

BARTHOLO

Avec un homme de Loi, pour mon mariage ?

LE COMTE

Sans doute. Il m'a chargé de vous dire que tout peut être prêt pour demain. Alors, si elle résiste...

BARTHOLO

Elle résistera

LE COMTE *veut reprendre la lettre, Bartholo la serre.*

Voilà l'instant où je puis vous servir ; nous lui montrerons sa lettre, et, s'il le faut *(plus mystérieusement)*, j'irai jusqu'à lui dire que je la tiens d'une femme à qui le Comte l'a sacrifiée ; vous sentez que le trouble, la honte, le dépit, peuvent la porter sur-le-champ...

BARTHOLO, *riant.*

De la calomnie ! mon cher ami, je vois bien maintenant que vous venez de la part de Bazile... Mais pour que ceci n'eût pas l'air concerté, ne serait-il pas bon qu'elle vous connût d'avance ?

LE COMTE *réprime un grand mouvement de joie.*

C'était assez l'avis de Don Bazile ; mais comment faire ? Il est tard... au peu de temps qui reste...

BARTHOLO

Je dirai que vous venez en sa place. Ne lui donnerez-vous pas bien une leçon ?

LE COMTE

Il n'y a rien que je ne fasse pour vous plaire. Mais prenez garde que toutes ces histoires de Maîtres supposés sont de vieilles finesses, des moyens de Comédie ; si elle va se douter ?...

BARTHOLO

Présenté par moi ? Quelle apparence ? Vous avez plus l'air d'un amant déguisé que d'un ami officieux.

LE COMTE

Oui ? Vous croyez donc que mon air peut aider à la tromperie ?

1 Portrait de Beaumarchais vers 1760 d'après Jean-Marc Nattier. Collection Comédie-Française, Paris.

2

*Le Barbier de Séville*
ou
*La précaution inutile*

(Comédie en 4. Octede)

Manuscript de l'auteur
Sur le quel Seul la pièce Sera
Jouée Si Elle doit jamais l'Être.
— Caron de Beaumarchais

2 *Mademoiselle Mézeray dans le
rôle de Rosine.* Gravure,
XVIIIe siècle. Bibliothèque de
la Comédie-Française, Paris.
3 Manuscrit de copiste avec
notes de l'auteur. Bibliothèque de la Comédie-Française, Paris.
4 *Monsieur Samson dans le rôle
de Figaro.* Gravure d'après
Lecurieux, première moitié
du XIXe siècle. Bibliothèque
des Arts décoratifs, Paris.
5 *L'acteur Thénard dans le rôle de
Figaro.* Peinture par Danloux,
début du XIXe siècle. Collection Comédie-Française,
3 Paris.

4

5

6

6 Jean Piat, Micheline Boudet et Jacques Toja. Comédie-Française, Paris, 1955, mise en scène de Louis Beydts.

Comédie-Française, Paris, 1979, mise en scène de Michel Etcheverry.
7 François Chaumette, Marcelline Collard et Michel Etcheverry.
8 Marcelline Collard et Richard Berry.

9 (double page suivante) Laure Thiery, Didier Mahieu et Jan Fantys. Théâtre des Deux-Rives, Rouen, 1991, mise en scène d'Alain Bézu.

7

8

10 Jino Quilico, Magali Damonte, Jacques Trigeau et Georges Gautier. Maison des Arts de Créteil, 1981, mise en scène de Maurice Bénichou.
11 Thierry Hancisse et Jean-Pierre Michaël. Comédie-Française, Paris, 1990, mise en scène de Jean-Luc Boutté.

*Crédits photographiques*
1, 2, 3, 4, 5 : Jean-Loup Charmet. 6, 7, 8, 9 : Agence de presse Bernand. 10, 11 : Enguerand.

BARTHOLO

Je le donne au plus fin à deviner. Elle est ce soir
d'une humeur horrible. Mais quand elle ne ferait que
vous voir... Son clavecin est dans ce cabinet. Amusez-
vous en l'attendant, je vais faire l'impossible pour
l'amener.

LE COMTE

Gardez-vous bien de lui parler de la lettre !

BARTHOLO

Avant l'instant décisif ? Elle perdrait tout son effet.
Il ne faut pas me dire deux fois les choses ; il ne faut
pas me les dire deux fois. *(Il s'en va.)*

## SCÈNE III

LE COMTE, *seul.*

Me voilà sauvé. Ouf ! Que ce diable d'homme est
rude à manier ! Figaro le connaît bien. Je me voyais
mentir ; cela me donnait un air plat et gauche ; et il a
des yeux !... Ma foi, sans l'inspiration subite de la
lettre, il faut l'avouer, j'étais éconduit comme un sot.
Ô Ciel ! on dispute là-dedans. Si elle allait s'obstiner
à ne pas venir ! Écoutons... Elle refuse de sortir de
chez elle, et j'ai perdu le fruit de ma ruse. *(Il retourne
écouter.)* La voici ; ne nous montrons pas d'abord. *(Il
entre dans le cabinet.)*

## SCÈNE IV

LE COMTE, ROSINE, BARTHOLO

ROSINE, *avec une colère simulée.*

Tout ce que vous direz est inutile, Monsieur. J'ai pris mon parti, je ne veux plus entendre parler de Musique.

BARTHOLO

Écoute donc, mon enfant; c'est le Seigneur Alonzo, l'élève et l'ami de Don Bazile, choisi par lui pour être un de nos témoins. — La Musique te calmera, je t'assure.

ROSINE

Oh! pour cela, vous pouvez vous en détacher; si je chante ce soir!... Où donc est-il ce Maître que vous craignez de renvoyer? Je vais, en deux mots, lui donner son compte et celui de Bazile. (*Elle aperçoit son amant. Elle fait un cri.*) Ah!...

BARTHOLO

Qu'avez-vous?

ROSINE, *les deux mains sur son cœur,*
*avec un grand trouble.*

Ah! mon Dieu, Monsieur... Ah! mon Dieu, Monsieur...

BARTHOLO

Elle se trouve encore mal... Seigneur Alonzo?

ROSINE

Non, je ne me trouve pas mal... mais c'est qu'en me tournant... Ah !

LE COMTE

Le pied vous a tourné, Madame ?

ROSINE

Ah ! oui, le pied m'a tourné. Je me suis fait un mal horrible.

LE COMTE

Je m'en suis bien aperçu.

ROSINE, *regardant le Comte.*

Le coup m'a porté au cœur.

BARTHOLO

Un siège, un siège. Et pas un fauteuil ici ? *(Il va le chercher.)*

LE COMTE

Ah ! Rosine !

ROSINE

Quelle imprudence !

LE COMTE

J'ai mille choses essentielles à vous dire.

ROSINE

Il ne nous quittera pas.

LE COMTE

Figaro va venir nous aider.

BARTHOLO *apporte un fauteuil.*

Tiens, mignonne, assieds-toi. — Il n'y a pas d'apparence, Bachelier, qu'elle prenne de leçon ce soir ; ce sera pour un autre jour. Adieu.

ROSINE, *au Comte.*

Non, attendez, ma douleur est un peu apaisée. *(À Bartholo.)* Je sens que j'ai eu tort avec vous, Monsieur. Je veux vous imiter en réparant sur-le-champ...

BARTHOLO

Oh ! le bon petit naturel de femme ! Mais après une pareille émotion, mon enfant, je ne souffrirai pas que tu fasses le moindre effort. Adieu, adieu, Bachelier.

ROSINE, *au Comte.*

Un moment, de grâce ! *(À Bartholo.)* Je croirai, Monsieur, que vous n'aimez pas à m'obliger si vous m'empêchez de vous prouver mes regrets en prenant ma leçon.

LE COMTE, *à part, à Bartholo.*

Ne la contrariez pas, si vous m'en croyez.

BARTHOLO

Voilà qui est fini, mon amoureuse. Je suis si loin de chercher à te déplaire, que je veux rester là tout le temps que tu vas étudier.

ROSINE

Non, Monsieur : je sais que la musique n'a nul attrait pour vous.

BARTHOLO

Je t'assure que ce soir elle m'enchantera.

ROSINE, *au Comte, à part.*

Je suis au supplice.

LE COMTE, *prenant un papier de musique sur le pupitre.*

Est-ce là ce que vous voulez chanter, Madame?

ROSINE

Oui, c'est un morceau très agréable de la *Précaution inutile.*

BARTHOLO

Toujours la *Précaution inutile?*

LE COMTE

C'est ce qu'il y a de plus nouveau aujourd'hui. C'est une image du Printemps, d'un genre assez vif. Si Madame veut l'essayer...

ROSINE, *regardant le Comte.*

Avec grand plaisir : un tableau du Printemps me ravit ; c'est la jeunesse de la nature. Au sortir de l'Hiver, il semble que le cœur acquière un plus haut degré de sensibilité : comme un esclave enfermé depuis longtemps goûte avec plus de plaisir le charme de la liberté qui vient de lui être offerte.

BARTHOLO, *bas, au Comte.*

Toujours des idées romanesques en tête

LE COMTE, *bas.*

Et sentez-vous l'application?

BARTHOLO

Parbleu! *(Il va s'asseoir dans le fauteuil qu'a occupé Rosine.)*

ROSINE *chante*[41] :

Quand, dans la plaine,
L'amour ramène
Le Printemps
Si chéri des amants,
    Tout reprend l'être,
    Son feu pénètre
        Dans les fleurs,
Et dans les jeunes cœurs.
On voit les troupeaux
Sortir des hameaux ;
Dans tous les coteaux,
Les cris des agneaux
        Retentissent ;
        Ils bondissent ;
        Tout fermente,
        Tout augmente ;
    Les brebis paissent
    Les fleurs qui naissent ;
    Les chiens fidèles
    Veillent sur elles ;
Mais Lindor, enflammé,
    Ne songe guère
Qu'au bonheur d'être aimé
    De sa bergère.

MÊME AIR

Loin de sa mère
Cette Bergère
    Va chantant,
Où son amant l'attend ;
    Par cette ruse
    L'amour l'abuse ;
        Mais chanter,
    Sauve-t-il du danger ?
Les doux chalumeaux,
Les chants des oiseaux,
Ses charmes naissants
Ses quinze ou seize ans,
    Tout l'excite,

Tout l'agite ·
La pauvrette
S'inquiète ;
De sa retraite,
Lindor la guette ;
Elle s'avance ;
Lindor s'élance ;
Il vient de l'embrasser :
Elle, bien aise,
Feint de se courroucer,
Pour qu'on l'apaise.

PETITE REPRISE

Les soupirs
Les soins, les promesses,
Les vives tendresses,
Les plaisirs,
Le fin badinage,
Sont mis en usage ;
Et bientôt la Bergère
Ne sent plus de colère.
Si quelque jaloux
Trouble un bien si doux,
Nos amants, d'accord, ·
Ont un soin extrême
De voiler leur transport ;
Mais quand on s'aime,
La gêne ajoute encor
Au plaisir même.

*(En l'écoutant, Bartholo s'est assoupi. Le Comte, pendant la petite reprise, se hasarde à prendre une main qu'il couvre de baisers. L'émotion ralentit le chant de Rosine, l'affaiblit, et finit même par lui couper la voix au milieu de la cadence, au mot* extrême. *L'orchestre suit le mouvement de la Chanteuse, affaiblit son jeu et se tait avec elle. L'absence du bruit qui avait endormi Bartholo, le réveille. Le Comte se relève, Rosine et l'Orchestre reprennent subitement la suite de l'air. Si la petite reprise se répète, le même jeu recommence, etc.)*

### LE COMTE

En vérité, c'est un morceau charmant, et Madame l'exécute avec une intelligence…

### ROSINE

Vous me flattez, Seigneur ; la gloire est tout entière au Maître.

### BARTHOLO, *bâillant.*

Moi, je crois que j'ai un peu dormi pendant le morceau charmant. J'ai mes malades. Je vas, je viens, je toupille[42], et sitôt que je m'assieds, mes pauvres jambes… *(Il se lève et pousse le fauteuil.)*

### ROSINE, *bas, au Comte.*

Figaro ne vient point !

### LE COMTE

Filons le temps.

### BARTHOLO

Mais, Bachelier, je l'ai déjà dit à ce vieux Bazile : est-ce qu'il n'y aurait pas moyen de lui faire étudier des choses plus gaies que toutes ces grandes arias, qui vont en haut, en bas, en roulant, hi, ho, a, a, a, a, et qui me semblent autant d'enterrements ? Là, de ces petits airs qu'on chantait dans ma jeunesse, et que chacun retenait facilement. J'en savais autrefois… Par exemple… *(Pendant la ritournelle, il cherche en se grattant la tête et chante en faisant claquer ses pouces et dansant des genoux comme les vieillards.)*

> Veux-tu, ma Rosinette,
> Faire emplette
> Du Roi des Maris ?…

*(Au Comte, en riant.)* Il y a Fanchonnette dans la chanson; mais j'y ai substitué Rosinette, pour la lui rendre plus agréable et la faire cadrer aux circonstances. Ah, ah, ah, ah! Fort bien! pas vrai?

LE COMTE, *riant.*

Ah! ah, ah! Oui, tout au mieux.

## SCÈNE V

FIGARO, *dans le fond*;
ROSINE, BARTHOLO, LE COMTE.

BARTHOLO *chante*:

Veux-tu, ma Rosinette,
        Faire emplette
        Du Roi des Maris?
Je ne suis point Tircis;
        Mais la nuit, dans l'ombre,
Je vaux encor mon prix;
        Et quand il fait sombre,
Les plus beaux chats sont gris.

*(Il répète la reprise en dansant. Figaro, derrière lui, imite ses mouvements.)*

Je ne suis point Tircis, etc.

*(Apercevant Figaro.)* Ah! Entrez, Monsieur le Barbier; avancez, vous êtes charmant!

FIGARO *salue.*

Monsieur, il est vrai que ma mère me l'a dit autrefois; mais je suis un peu déformé depuis ce temps-là. *(À part, au Comte.)* Bravo, Monseigneur! *(Pendant toute cette Scène, le Comte fait ce qu'il peut pour parler à Rosine,*

*mais l'œil inquiet et vigilant du Tuteur l'en empêche tou-*
*jours, ce qui forme un jeu muet de tous les Acteurs, étranger*
*au débat du Docteur et de Figaro.)*

### BARTHOLO

Venez-vous purger encore, saigner, droguer, mettre
sur le grabat toute ma maison ?

### FIGARO

Monsieur, il n'est pas tous les jours fête ; mais, sans
compter les soins quotidiens, Monsieur a pu voir que,
lorsqu'ils en ont besoin, mon zèle n'attend pas qu'on
lui commande...

### BARTHOLO

Votre zèle n'attend pas ! Que direz-vous, Monsieur
le zélé, à ce malheureux qui bâille et dort tout
éveillé ? Et l'autre qui, depuis trois heures, éternue à
se faire sauter le crâne et jaillir la cervelle ! que leur
direz-vous ?

### FIGARO

Ce que je leur dirai ?

### BARTHOLO

Oui !

### FIGARO

Je leur dirai... Eh, parbleu ! je dirai à celui qui éternue, «Dieu vous bénisse» et «va te coucher» à celui
qui bâille. Ce n'est pas cela, Monsieur, qui grossira le
mémoire.

### BARTHOLO

Vraiment non, mais c'est la saignée et les médi-
caments qui le grossiraient, si je voulais y entendre.

Est-ce par zèle aussi que vous avez empaqueté les yeux de ma mule, et votre cataplasme lui rendra-t-il la vue ?

FIGARO

S'il ne lui rend pas la vue, ce n'est pas cela non plus qui l'empêchera d'y voir.

BARTHOLO

Que je le trouve sur le mémoire !… On n'est pas de cette extravagance-là !

FIGARO

Ma foi, Monsieur, les hommes n'ayant guère à choisir qu'entre la sottise et la folie, où je ne vois pas de profit, je veux au moins du plaisir ; et vive la joie ! Qui sait si le monde durera encore trois semaines ?

BARTHOLO

Vous feriez bien mieux, Monsieur le raisonneur, de me payer mes cent écus et les intérêts sans lanterner, je vous en avertis.

FIGARO

Doutez-vous de ma probité, Monsieur ? Vos cent écus ! j'aimerais mieux vous les devoir toute ma vie que de les nier un seul instant.

BARTHOLO

Et dites-moi un peu comment la petite Figaro a trouvé les bonbons que vous lui avez portés ?

FIGARO

Quels bonbons ? que voulez-vous dire ?

BARTHOLO

Oui, ces bonbons, dans ce cornet fait avec cette feuille de papier à lettre, ce matin.

FIGARO

Diable emporte si...

ROSINE, *l'interrompant.*

Avez-vous eu soin au moins de les lui donner de ma part, Monsieur Figaro ? Je vous l'avais recommandé.

FIGARO

Ah ! ah ! Les bonbons de ce matin ? Que je suis bête, moi ! j'avais perdu tout cela de vue... Oh ! excellents, Madame, admirables !

BARTHOLO

Excellents ! Admirables ! Oui sans doute. Monsieur le Barbier, revenez sur vos pas ! Vous faites là un joli métier, Monsieur !

FIGARO

Qu'est-ce qu'il a donc, Monsieur ?

BARTHOLO

Et qui vous fera une belle réputation, Monsieur !

FIGARO

Je la soutiendrai, Monsieur !

BARTHOLO

Dites que vous la supporterez, Monsieur !

FIGARO

Comme il vous plaira, Monsieur !

BARTHOLO

Vous le prenez bien haut, Monsieur! Sachez que quand je dispute avec un fat, je ne lui cède jamais.

FIGARO *lui tourne le dos.*

Nous différons en cela, Monsieur! moi je lui cède toujours.

BARTHOLO

Hein? qu'est-ce qu'il dit donc, Bachelier?

FIGARO

C'est que vous croyez avoir affaire à quelque Barbier de village, et qui ne sait manier que le rasoir? Apprenez, Monsieur, que j'ai travaillé de la plume à Madrid et que sans les envieux...

BARTHOLO

Eh! que n'y restiez-vous, sans venir ici changer de profession?

FIGARO

On fait comme on peut; mettez-vous à ma place.

BARTHOLO

Me mettre à votre place! Ah! parbleu, je dirais de belles sottises!

FIGARO

Monsieur, vous ne commencez pas trop mal; je m'en rapporte à votre confrère qui est là rêvassant...

LE COMTE, *revenant à lui.*

Je... je ne suis pas le confrère de Monsieur.

### FIGARO

Non? Vous voyant ici à consulter, j'ai pensé que vous poursuiviez le même objet.

### BARTHOLO, *en colère.*

Enfin, quel sujet vous amène? Y a-t-il quelque lettre à remettre encore ce soir à Madame? Parlez, faut-il que je me retire?

### FIGARO

Comme vous rudoyez le pauvre monde! Eh! parbleu, Monsieur, je viens vous raser, voilà tout : n'est-ce pas aujourd'hui votre jour?

### BARTHOLO

Vous reviendrez tantôt.

### FIGARO

Ah! oui, revenir! Toute la Garnison prend médecine demain matin; j'en ai obtenu l'entreprise par mes protections. Jugez donc comme j'ai du temps à perdre! Monsieur passe-t-il chez lui?

### BARTHOLO

Non, Monsieur ne passe point chez lui. Eh mais... qui empêche qu'on ne me rase ici?

### ROSINE, *avec dédain.*

Vous êtes honnête! Et pourquoi pas dans mon appartement?

### BARTHOLO

Tu te fâches! Pardon, mon enfant, tu vas achever de prendre ta leçon! c'est pour ne pas perdre un instant le plaisir de t'entendre.

FIGARO, *bas, au Comte.*

On ne le tirera pas d'ici! *(Haut.)* Allons, L'Éveillé,
La Jeunesse; le bassin, de l'eau, tout ce qu'il faut à
Monsieur.

BARTHOLO

Sans doute, appelez-les! Fatigués, harassés, moulus
de votre façon, n'a-t-il pas fallu les faire coucher?

FIGARO

Eh bien! j'irai tout chercher, n'est-ce pas, dans
votre chambre? *(Bas, au Comte.)* Je vais l'attirer
dehors.

BARTHOLO *détache son trousseau de clefs,*
*et dit par réflexion*:

Non, non, j'y vais moi-même. *(Bas, au Comte, en s'en
allant.)* Ayez les yeux sur eux, je vous prie.

## SCÈNE VI

FIGARO, LE COMTE, ROSINE

FIGARO

Ah! que nous l'avons manqué belle! il allait
me donner le trousseau. La clef de la jalousie n'y est-
elle pas?

ROSINE

C'est la plus neuve de toutes.

## SCÈNE VII

FIGARO, LE COMTE, ROSINE,
BARTHOLO, *revenant.*

BARTHOLO, *à part.*

Bon ! je ne sais ce que je fais de laisser ici ce maudit
Barbier. *(À Figaro.)* Tenez. *(Il lui donne le trousseau.)*
Dans mon cabinet, sous mon bureau ; mais ne tou-
chez à rien.

FIGARO

La peste ! il y ferait bon, méfiant comme vous êtes !
*(À part, en s'en allant.)* Voyez comme le Ciel protège
l'innocence !

## SCÈNE VIII

BARTHOLO, LE COMTE, ROSINE

BARTHOLO, *bas, au Comte.*

C'est le drôle qui a porté la lettre au Comte.

LE COMTE, *bas.*

Il m'a l'air d'un fripon.

BARTHOLO

Il ne m'attrapera plus.

LE COMTE

Je crois qu'à cet égard le plus fort est fait.

#### BARTHOLO

Tout considéré, j'ai pensé qu'il était plus prudent de l'envoyer dans ma chambre que de le laisser avec elle.

#### LE COMTE

Ils n'auraient pas dit un mot que je n'eusse été en tiers.

#### ROSINE

Il est bien poli, Messieurs, de parler bas sans cesse ! Et ma leçon ? *(Ici l'on entend un bruit, comme de la vaisselle renversée.)*

#### BARTHOLO, *criant.*

Qu'est-ce que j'entends donc ! Le cruel Barbier aura tout laissé tomber dans l'escalier, et les plus belles pièces de mon nécessaire !... *(Il court dehors.)*

### SCÈNE IX

#### LE COMTE, ROSINE

#### LE COMTE

Profitons du moment que l'intelligence de Figaro nous ménage. Accordez-moi, ce soir, je vous en conjure, Madame, un moment d'entretien indispensable pour vous soustraire à l'esclavage où vous allez tomber.

#### ROSINE

Ah, Lindor !

LE COMTE

Je puis monter à votre jalousie; et quant à la lettre
que j'ai reçue de vous ce matin, je me suis vu forcé...


## SCÈNE X

ROSINE, BARTHOLO, FIGARO, LE COMTE

BARTHOLO

Je ne m'étais pas trompé; tout est brisé, fracassé.

FIGARO

Voyez le grand malheur pour tant de train! On ne
voit goutte sur l'escalier. *(Il montre la clef au Comte.)*
Moi, en montant, j'ai accroché une clef[43]...

BARTHOLO

On prend garde à ce qu'on fait. Accrocher une
clef! L'habile homme!

FIGARO

Ma foi, Monsieur, cherchez-en un plus subtil[44].


## SCÈNE XI

LES ACTEURS PRÉCÉDENTS, DON BAZILE

ROSINE, *effrayée, à part.*

Don Bazile!...

LE COMTE, *à part.*

Juste Ciel!

FIGARO, *à part.*

C'est le Diable!

BARTHOLO *va au-devant de lui.*

Ah! Bazile, mon ami, soyez le bien rétabli. Votre accident n'a donc point eu de suites? En vérité, le Seigneur Alonzo m'avait fort effrayé sur votre état; demandez-lui, je partais pour aller vous voir; et s'il ne m'avait point retenu...

BAZILE, *étonné.*

Le Seigneur Alonzo?

FIGARO *frappe du pied.*

Eh quoi! toujours des accrocs? Deux heures pour une méchante barbe... Chienne de pratique!

BAZILE, *regardant tout le monde.*

Me ferez-vous bien le plaisir de me dire, Messieurs?...

FIGARO

Vous lui parlerez quand je serai parti.

BAZILE

Mais encore faudrait-il...

LE COMTE

Il faudrait vous taire, Bazile. Croyez-vous apprendre à Monsieur quelque chose qu'il ignore? Je lui ai raconté que vous m'aviez chargé de venir donner une leçon de musique à votre place.

BAZILE, *plus étonné.*

La leçon de musique!... Alonzo!...

ROSINE, *à part, à Bazile.*

Eh ! taisez-vous.

BAZILE

Elle aussi !

LE COMTE, *bas, à Bartholo.*

Dites-lui donc tout bas que nous en sommes convenus.

BARTHOLO, *à Bazile, à part.*

N'allez pas nous démentir, Bazile, en disant qu'il n'est pas votre élève ; vous gâteriez tout.

BAZILE

Ah ! ah !

BARTHOLO, *haut.*

En vérité, Bazile, on n'a pas plus de talent que votre élève.

BAZILE, *stupéfait.*

Que mon élève !... *(Bas.)* Je venais pour vous dire que le Comte est déménagé.

BARTHOLO, *bas.*

Je le sais, taisez-vous.

BAZILE, *bas.*

Qui vous l'a dit ?

BARTHOLO, *bas.*

Lui, apparemment !

LE COMTE, *bas.*

Moi, sans doute : écoutez seulement.

ROSINE, *bas, à Bazile.*

Est-il si difficile de vous taire ?

FIGARO, *bas, à Bazile.*

Hum ! Grand escogriffe ! Il est sourd !

BAZILE, *à part.*

Qui diable est-ce donc qu'on trompe ici ? Tout le monde est dans le secret !

BARTHOLO, *haut.*

Eh bien, Bazile, votre homme de Loi ?...

FIGARO

Vous avez toute la soirée pour parler de l'homme de Loi.

BARTHOLO, *à Bazile.*

Un mot ; dites-moi seulement si vous êtes content de l'homme de Loi ?

BAZILE, *effaré.*

De l'homme de Loi ?

LE COMTE, *souriant.*

Vous ne l'avez pas vu, l'homme de Loi ?

BAZILE, *impatient.*

Eh ! non, je ne l'ai pas vu, l'homme de Loi.

LE COMTE, *à Bartholo, à part.*

Voulez-vous donc qu'il s'explique ici devant elle ? Renvoyez-le.

BARTHOLO, *bas, au Comte.*

Vous avez raison. *(À Bazile.)* Mais quel mal vous a donc pris si subitement?

BAZILE, *en colère.*

Je ne vous entends pas.

LE COMTE *lui met, à part, une bourse dans la main.*

Oui, Monsieur vous demande ce que vous venez faire ici, dans l'état d'indisposition où vous êtes?

FIGARO

Il est pâle comme un mort!

BAZILE

Ah! je comprends...

LE COMTE

Allez vous coucher, mon cher Bazile : vous n'êtes pas bien, et vous nous faites mourir de frayeur. Allez vous coucher.

FIGARO

Il a la physionomie toute renversée. Allez vous coucher.

BARTHOLO

D'honneur, il sent la fièvre d'une lieue. Allez vous coucher.

ROSINE

Pourquoi donc êtes-vous sorti? On dit que cela se gagne. Allez vous coucher.

BAZILE, *au dernier étonnement.*

Que j'aille me coucher !

TOUS LES ACTEURS ENSEMBLE

Eh ! sans doute.

BAZILE, *les regardant tous.*

En effet, Messieurs, je crois que je ne ferai pas mal de me retirer ; je sens que je ne suis pas ici dans mon assiette ordinaire.

BARTHOLO

À demain, toujours, si vous êtes mieux.

LE COMTE

Bazile ! je serai chez vous de très bonne heure.

FIGARO

Croyez-moi, tenez-vous bien chaudement dans votre lit.

ROSINE

Bonsoir, Monsieur Bazile.

BAZILE, *à part.*

Diable emporte si j'y comprends rien ; et sans cette bourse...

TOUS

Bonsoir, Bazile, bonsoir.

BAZILE, *en s'en allant.*

Eh bien ! bonsoir donc, bonsoir. (*Ils l'accompagnent tous en riant.*)

## SCÈNE XII

LES ACTEURS PRÉCÉDENTS, *excepté* BAZILE

BARTHOLO, *d'un ton important.*

Cet homme-là n'est pas bien du tout.

ROSINE

Il a les yeux égarés.

LE COMTE

Le grand air l'aura saisi.

FIGARO

Avez-vous vu comme il parlait tout seul? Ce que c'est que de nous! *(À Bartholo.)* Ah çà, vous décidez-vous, cette fois? *(Il lui pousse un fauteuil très loin du Comte, et lui présente le linge.)*

LE COMTE

Avant de finir, Madame, je dois vous dire un mot essentiel au progrès de l'art que j'ai l'honneur de vous enseigner. *(Il s'approche et lui parle bas à l'oreille.)*

BARTHOLO, *à Figaro.*

Eh mais! il semble que vous le fassiez exprès de vous approcher, et de vous mettre devant moi, pour m'empêcher de voir...

LE COMTE, *bas, à Rosine.*

Nous avons la clef de la jalousie, et nous serons ici à minuit.

FIGARO *passe le linge au cou de Bartholo.*

Quoi voir ? Si c'était une leçon de danse, on vous passerait d'y regarder ; mais du chant... Ahi, ahi !

BARTHOLO

Qu'est-ce que c'est ?

FIGARO

Je ne sais ce qui m'est entré dans l'œil. *(Il rapproche sa tête.)*

BARTHOLO

Ne frottez donc pas.

FIGARO

C'est le gauche. Voudriez-vous me faire le plaisir d'y souffler un peu fort ?

> Bartholo prend la tête de Figaro, regarde par-dessus, le pousse violemment et va derrière les Amants écouter leur conversation.

LE COMTE, *bas, à Rosine.*

Et quant à votre lettre, je me suis trouvé tantôt dans un tel embarras pour rester ici...

FIGARO, *de loin, pour avertir.*

Hem !... hem !...

LE COMTE

Désolé de voir encore mon déguisement inutile...

BARTHOLO, *passant entre deux.*

Votre déguisement inutile !

ROSINE, *effrayée.*

Ah !...

BARTHOLO

Fort bien, Madame, ne vous gênez pas. Comment !
sous mes yeux mêmes, en ma présence, on m'ose
outrager de la sorte !

LE COMTE

Qu'avez-vous donc, Seigneur ?

BARTHOLO

Perfide Alonzo !

LE COMTE

Seigneur Bartholo, si vous avez souvent des lubies
comme celle dont le hasard me rend témoin, je ne
suis plus étonné de l'éloignement que Mademoiselle
a pour devenir votre femme.

ROSINE

Sa femme ! Moi ! Passer mes jours auprès d'un
vieux jaloux, qui, pour tout bonheur, offre à ma jeunesse un esclavage abominable !

BARTHOLO

Ah ! qu'est-ce que j'entends !

ROSINE

Oui, je le dis tout haut : je donnerai mon cœur et
ma main à celui qui pourra m'arracher de cette horrible prison, où ma personne et mon bien sont rete-
nus contre toute justice. *(Rosine sort.)*

## SCÈNE XIII

### BARTHOLO, FIGARO, LE COMTE

#### BARTHOLO

La colère me suffoque.

#### LE COMTE

En effet, Seigneur, il est difficile qu'une jeune femme...

#### FIGARO

Oui, une jeune femme, et un grand âge ; voilà ce qui trouble la tête d'un vieillard.

#### BARTHOLO

Comment ! lorsque je les prends sur le fait ! Maudit Barbier ! il me prend des envies...

#### FIGARO

Je me retire, il est fou.

#### LE COMTE

Et moi aussi ; d'honneur, il est fou.

#### FIGARO

Il est fou, il est fou... *(Ils sortent.)*

## SCÈNE XIV

BARTHOLO, *seul, les poursuit.*

Je suis fou! Infâmes suborneurs! émissaires du
Diable, dont vous faites ici l'office, et qui puisse vous
emporter tous!... Je suis fou!... Je les ai vus comme je
vois ce pupitre... et me soutenir effrontément!...
Ah! il n'y a que Bazile qui puisse m'expliquer ceci.
Oui, envoyons-le chercher. Holà, quelqu'un!... Ah!
j'oublie que je n'ai personne... Un voisin, le premier
venu, n'importe. Il y a de quoi perdre l'esprit! il y a
de quoi perdre l'esprit!

> *Pendant l'Entracte, le Théâtre s'obscurcit;*
> *on entend un bruit d'orage,*
> *et l'Orchestre joue celui qui est gravé*
> *dans le Recueil de la Musique du* Barbier.

# ACTE IV

*Le Théâtre est obscur.*

## SCÈNE PREMIÈRE

BARTHOLO,
DON BAZILE, *une lanterne de papier à la main.*

### BARTHOLO

Comment Bazile, vous ne le connaissez pas ? ce que vous dites est-il possible ?

### BAZILE

Vous m'interrogeriez cent fois, que je vous ferais toujours la même réponse. S'il vous a remis la lettre de Rosine, c'est sans doute un des émissaires du Comte. Mais, à la magnificence du présent qu'il m'a fait, il se pourrait que ce fût le Comte lui-même.

### BARTHOLO

À propos de ce présent, eh ! pourquoi l'avez-vous reçu ?

### BAZILE

Vous aviez l'air d'accord ; je n'y entendais rien ; et dans les cas difficiles à juger, une bourse d'or me paraît toujours un argument sans réplique. Et puis, comme dit le proverbe, ce qui est bon à prendre...

BARTHOLO

J'entends, est bon...

BAZILE

À garder.

BARTHOLO, *surpris.*

Ah ! ah !

BAZILE

Oui, j'ai arrangé comme cela plusieurs petits proverbes avec des variations. Mais, allons au fait : à quoi vous arrêtez-vous ?

BARTHOLO

En ma place, Bazile, ne feriez-vous pas les derniers efforts pour la posséder ?

BAZILE

Ma foi non, Docteur. En toute espèce de biens, posséder est peu de chose ; c'est jouir qui rend heureux : mon avis est qu'épouser une femme dont on n'est point aimé, c'est s'exposer...

BARTHOLO

Vous craindriez les accidents ?

BAZILE

Hé ! hé ! Monsieur... on en voit beaucoup, cette année. Je ne ferais point violence à son cœur.

### BARTHOLO

Votre valet, Bazile. Il vaut mieux qu'elle pleure de m'avoir, que moi je meure de ne l'avoir pas.

### BAZILE

Il y va de la vie? Épousez, Docteur, épousez.

### BARTHOLO

Ainsi ferai-je, et cette nuit même.

### BAZILE

Adieu donc. — Souvenez-vous, en parlant à la Pupille, de les rendre tous plus noirs que l'enfer.

### BARTHOLO

Vous avez raison.

### BAZILE

La calomnie, Docteur, la calomnie. Il faut toujours en venir là.

### BARTHOLO

Voici la lettre de Rosine, que cet Alonzo m'a remise; et il m'a montré, sans le vouloir, l'usage que j'en dois faire auprès d'elle.

### BAZILE

Adieu : nous serons tous ici à quatre heures.

### BARTHOLO

Pourquoi pas plus tôt?

### BAZILE

Impossible : le Notaire est retenu.

BARTHOLO

Pour un mariage.

BAZILE

Oui, chez le Barbier Figaro ; c'est sa nièce qu'il marie.

BARTHOLO

Sa nièce ? il n'en a pas.

BAZILE

Voilà ce qu'ils ont dit au Notaire.

BARTHOLO

Ce drôle est du complot, que diable !

BAZILE

Est-ce que vous penseriez ?...

BARTHOLO

Ma foi, ces gens-là sont si alertes ! Tenez, mon ami, je ne suis pas tranquille. Retournez chez le Notaire. Qu'il vienne ici sur-le-champ avec vous.

BAZILE

Il pleut, il fait un temps du diable ; mais rien ne m'arrête pour vous servir. Que faites-vous donc ?

BARTHOLO

Je vous reconduis : n'ont-ils pas fait estropier tout mon monde par ce Figaro ! Je suis seul ici.

BAZILE

J'ai ma lanterne.

### BARTHOLO

Tenez, Bazile, voilà mon passe-partout, je vous attends, je veille; et vienne qui voudra, hors le Notaire et vous, personne n'entrera dans la nuit.

### BAZILE

Avec ces précautions, vous êtes sûr de votre fait.

## SCÈNE II

### ROSINE, *seule, sortant de sa chambre.*

Il me semblait avoir entendu parler. Il est minuit sonné; Lindor ne vient point! Ce mauvais temps même était propre à le favoriser. Sûr de ne rencontrer personne... Ah! Lindor! si vous m'aviez trompée! Quel bruit entends-je?... Dieux! c'est mon Tuteur. Rentrons.

## SCÈNE III

### ROSINE, BARTHOLO

### BARTHOLO *rentre avec de la lumière.*

Ah! Rosine, puisque vous n'êtes pas encore rentrée dans votre appartement...

### ROSINE

Je vais me retirer.

### BARTHOLO

Par le temps affreux qu'il fait, vous ne reposerez pas, et j'ai des choses très pressées à vous dire.

ROSINE

Que me voulez-vous, Monsieur ? N'est-ce donc pas assez d'être tourmentée le jour ?

BARTHOLO

Rosine, écoutez-moi.

ROSINE

Demain je vous entendrai.

BARTHOLO

Un moment, de grâce.

ROSINE

S'il allait venir !

BARTHOLO *lui montre sa lettre.*

Connaissez-vous cette lettre ?

ROSINE *la reconnaît.*

Ah ! grands Dieux !...

BARTHOLO

Mon intention, Rosine, n'est point de vous faire de reproches : à votre âge on peut s'égarer ; mais je suis votre ami, écoutez-moi.

ROSINE

Je n'en puis plus.

BARTHOLO

Cette lettre que vous avez écrite au Comte Almaviva...

ROSINE, *étonnée.*

Au Comte Almaviva !

BARTHOLO

Voyez quel homme affreux est ce Comte : aussitôt qu'il l'a reçue, il en a fait trophée ; je la tiens d'une femme à qui il l'a sacrifiée.

ROSINE

Le Comte Almaviva !...

BARTHOLO

Vous avez peine à vous persuader cette horreur. L'inexpérience, Rosine, rend votre sexe confiant et crédule ; mais apprenez dans quel piège on vous attirait. Cette femme m'a fait donner avis de tout, apparemment pour écarter une rivale aussi dangereuse que vous. J'en frémis ! le plus abominable complot entre Almaviva, Figaro et cet Alonzo, cet élève supposé de Bazile, qui porte un autre nom et n'est que le vil agent du Comte, allait vous entraîner dans un abîme dont rien n'eût pu vous tirer

ROSINE, *accablée*

Quelle horreur !... quoi Lindor !.. quoi ce jeune homme !...

BARTHOLO, *à part*

Ah ! c'est Lindor.

ROSINE

C'est pour le Comte Almaviva... C'est pour un autre...

BARTHOLO

Voilà ce qu'on m'a dit en me remettant votre lettre.

ROSINE, *outrée.*

Ah! quelle indignité!... Il en sera puni. — Monsieur, vous avez désiré de m'épouser?

BARTHOLO

Tu connais la vivacité de mes sentiments.

ROSINE

S'il peut vous en rester encore, je suis à vous.

BARTHOLO

Eh bien! le Notaire viendra cette nuit même.

ROSINE

Ce n'est pas tout; ô Ciel! suis-je assez humiliée!... Apprenez que dans peu le perfide ose entrer par cette jalousie, dont ils ont eu l'art de vous dérober la clef.

BARTHOLO, *regardant au trousseau.*

Ah! les scélérats! Mon enfant, je ne te quitte plus.

ROSINE, *avec effroi.*

Ah! Monsieur, et s'ils sont armés?

BARTHOLO

Tu as raison; je perdrais ma vengeance. Monte chez Marceline: enferme-toi chez elle à double tour. Je vais chercher main-forte, et l'attendre auprès de la maison. Arrêté comme voleur, nous aurons le plaisir d'en être à la fois vengés et délivrés! Et compte que mon amour te dédommagera...

ROSINE, *au désespoir.*

Oubliez seulement mon erreur. *(À part.)* Ah, je m'en punis assez !

BARTHOLO, *s'en allant.*

Allons nous embusquer. À la fin je la tiens. *(Il sort.)*

## SCÈNE IV

ROSINE, *seule.*

Son amour me dédommagera !… Malheureuse !… *(Elle tire son mouchoir, et s'abandonne aux larmes.)* Que faire ?… Il va venir. Je veux rester, et feindre avec lui, pour le contempler un moment dans toute sa noirceur. La bassesse de son procédé sera mon préservatif… Ah ! j'en ai grand besoin. Figure noble ! air doux ! une voix si tendre !… et ce n'est que le vil agent d'un corrupteur ! Ah, malheureuse ! malheureuse !… Ciel ! on ouvre la jalousie ! *(Elle se sauve.)*

## SCÈNE V

LE COMTE, FIGARO, *enveloppé d'un manteau, paraît à la fenêtre.*

FIGARO *parle en dehors.*

Quelqu'un s'enfuit ; entrerai-je ?

LE COMTE, *en dehors.*

Un homme ?

FIGARO

Non.

LE COMTE

C'est Rosine que ta figure atroce aura mise en fuite.

FIGARO *saute dans la chambre.*

Ma foi, je le crois… Nous voici enfin arrivés, malgré la pluie, la foudre et les éclairs.

LE COMTE, *enveloppé d'un long manteau.*

Donne-moi la main. *(Il saute à son tour.)* À nous la victoire !

FIGARO *jette son manteau.*

Nous sommes tout percés. Charmant temps pour aller en bonne fortune ! Monseigneur, comment trouvez-vous cette nuit ?

LE COMTE

Superbe pour un amant.

FIGARO

Oui, mais pour un confident ?… Et si quelqu'un allait nous surprendre ici ?

LE COMTE

N'es-tu pas avec moi ? J'ai bien une autre inquiétude : c'est de la déterminer à quitter sur-le-champ la maison du Tuteur.

FIGARO

Vous avez pour vous trois passions toutes-puissantes sur le beau sexe : l'amour, la haine, et la crainte.

LE COMTE *regarde dans l'obscurité.*

Comment lui annoncer brusquement que le Notaire l'attend chez toi pour nous unir? Elle trouvera mon projet bien hardi. Elle va me nommer audacieux.

FIGARO

Si elle vous nomme audacieux, vous l'appellerez cruelle. Les femmes aiment beaucoup qu'on les appelle cruelles. Au surplus, si son amour est tel que vous le désirez, vous lui direz qui vous êtes; elle ne doutera plus de vos sentiments.

## SCÈNE VI

LE COMTE, ROSINE, FIGARO
*Figaro allume toutes les bougies qui sont
sur la table.*

LE COMTE

La voici. — Ma belle Rosine!...

ROSINE, *d'un ton très composé.*

Je commençais, Monsieur, à craindre que vous ne vinssiez pas.

LE COMTE

Charmante inquiétude!... Mademoiselle, il ne me convient point d'abuser des circonstances pour vous proposer de partager le sort d'un infortuné; mais, quelque asile que vous choisissiez, je jure mon honneur...

ROSINE

Monsieur, si le don de ma main n'avait pas dû suivre à l'instant celui de mon cœur, vous ne seriez pas ici. Que la nécessité justifie à vos yeux ce que cette entrevue a d'irrégulier !

LE COMTE

Vous, Rosine ! la compagne d'un malheureux ! sans fortune sans naissance !...

ROSINE

La naissance, la fortune ! Laissons là les jeux du hasard, et si vous m'assurez que vos intentions sont pures...

LE COMTE, *à ses pieds.*

Ah ! Rosine, je vous adore !...

ROSINE, *indignée.*

Arrêtez, malheureux !... vous osez profaner !... Tu m'adores !... Va ! tu n'es plus dangereux pour moi ; j'attendais ce mot pour te détester. Mais avant de t'abandonner au remords qui t'attend, *(en pleurant)* apprends que je t'aimais ; apprends que je faisais mon bonheur de partager ton mauvais sort. Misérable Lindor ! j'allais tout quitter pour te suivre. Mais le lâche abus que tu as fait de mes bontés, et l'indignité de cet affreux Comte Almaviva, à qui tu me vendais, ont fait rentrer dans mes mains ce témoignage de ma faiblesse. Connais-tu cette lettre ?

LE COMTE, *vivement.*

Que votre Tuteur vous a remise ?

ROSINE, *fièrement.*

Oui, je lui en ai l'obligation.

LE COMTE

Dieux, que je suis heureux ! Il la tient de moi. Dans mon embarras, hier, je m'en servis pour arracher sa confiance, et je n'ai pu trouver l'instant de vous en informer. Ah, Rosine ! Il est donc vrai que vous m'aimiez véritablement !…

FIGARO

Monseigneur, vous cherchiez une femme qui vous aimât pour vous-même…

ROSINE

Monseigneur ! que dit-il ?

LE COMTE, *jetant son large manteau, paraît en habit magnifique.*

Ô la plus aimée des femmes ! il n'est plus temps de vous abuser : l'heureux homme que vous voyez à vos pieds n'est point Lindor ; je suis le Comte Almaviva, qui meurt d'amour et vous cherche en vain depuis six mois.

ROSINE *tombe dans les bras du Comte.*

Ah !…

LE COMTE, *effrayé.*

Figaro ?

FIGARO

Point d'inquiétude, Monseigneur ; la douce émotion de la joie n'a jamais de suites fâcheuses ; la voilà, la voilà qui reprend ses sens ; morbleu qu'elle est belle !

ROSINE

Ah ! Lindor !... Ah Monsieur ! que je suis coupable !
j'allais me donner cette nuit même à mon Tuteur.

LE COMTE

Vous, Rosine !

ROSINE

Ne voyez que ma punition ! j'aurais passé ma vie à
vous détester. Ah Lindor ! le plus affreux supplice
n'est-il pas de haïr, quand on sent qu'on est faite pour
aimer ?

FIGARO *regarde à la fenêtre.*

Monseigneur, le retour est fermé ; l'échelle est
enlevée.

LE COMTE

Enlevée !

ROSINE, *troublée.*

Oui, c'est moi... c'est le Docteur. Voilà le fruit de
ma crédulité. Il m'a trompée. J'ai tout avoué, tout
trahi : il sait que vous êtes ici, et va venir avec main-
forte.

FIGARO *regarde encore.*

Monseigneur ! on ouvre la porte de la rue.

ROSINE, *courant dans les bras du Comte, avec frayeur.*

Ah Lindor !...

LE COMTE, *avec fermeté.*

Rosine, vous m'aimez. Je ne crains personne ; et
vous serez ma femme. J'aurai donc le plaisir de punir
à mon gré l'odieux vieillard !...

### ROSINE

Non, non, grâce pour lui, cher Lindor! Mon cœur est si plein, que la vengeance ne peut y trouver place.

## SCÈNE VII

### LE NOTAIRE, DON BAZILE, LES ACTEURS PRÉCÉDENTS

### FIGARO

Monseigneur, c'est notre Notaire.

### LE COMTE

Et l'ami Bazile avec lui!

### BAZILE

Ah! qu'est-ce que j'aperçois?

### FIGARO

Eh! par quel hasard, notre ami...

### BAZILE

Par quel accident, Messieurs...

### LE NOTAIRE

Sont-ce là les futurs conjoints?

### LE COMTE

Oui, Monsieur. Vous deviez unir la Signora Rosine et moi cette nuit, chez le Barbier Figaro; mais nous avons préféré cette maison, pour des raisons que vous saurez. Avez-vous notre contrat?

### LE NOTAIRE

J'ai donc l'honneur de parler à Son Excellence Monseigneur le Comte Almaviva?

### FIGARO

Précisément.

### BAZILE, *à part.*

Si c'est pour cela qu'il m'a donné le passe-partout.

### LE NOTAIRE

C'est que j'ai deux contrats de mariage, Monseigneur; ne confondons point : voici le vôtre; et c'est ici celui du Seigneur Bartholo avec la Signora... Rosine aussi. Les Demoiselles apparemment sont deux sœurs qui portent le même nom.

### LE COMTE

Signons toujours. Don Bazile voudra bien nous servir de second témoin. (*Ils signent.*)

### BAZILE

Mais, Votre Excellence... je ne comprends pas...

### LE COMTE

Mon Maître Bazile, un rien vous embarrasse, et vous étonne.

### BAZILE

Monseigneur... Mais si le Docteur...

### LE COMTE, *lui jetant une bourse.*

Vous faites l'enfant! Signez donc vite.

BAZILE, *étonné.*

Ah! ah!...

FIGARO

Où donc est la difficulté de signer?

BAZILE, *pesant la bourse.*

Il n'y en a plus; mais c'est que moi, quand j'ai donné ma parole une fois, il faut des motifs d'un grand poids... (*Il signe*[45].)

## SCÈNE VIII ET DERNIÈRE

BARTHOLO, UN ALCADE, DES ALGUAZILS,
DES VALETS *avec des flambeaux,*
*et* LES ACTEURS PRÉCÉDENTS.

BARTHOLO *voit le Comte baiser la main de Rosine,*
*et Figaro qui embrasse grotesquement Don Bazile: il crie en*
*prenant le Notaire à la gorge.*

Rosine avec ces fripons! arrêtez tout le monde. J'en tiens un au collet.

LE NOTAIRE

C'est votre Notaire.

BAZILE

C'est votre Notaire. Vous moquez-vous?

BARTHOLO

Ah! Don Bazile. Eh! comment êtes-vous ici?

BAZILE

Mais plutôt vous, comment n'y êtes-vous pas?

L'ALCADE, *montrant Figaro.*

Un moment ; je connais celui-ci. Que viens-tu faire en cette maison, à des heures indues ?

FIGARO

Heure indue ? Monsieur voit bien qu'il est aussi près du matin que du soir. D'ailleurs, je suis de la compagnie de Son Excellence le Comte Almaviva.

BARTHOLO

Almaviva.

L'ALCADE

Ce ne sont donc pas des voleurs ?

BARTHOLO

Laissons cela. — Partout ailleurs, Monsieur le Comte, je suis le serviteur de Votre Excellence ; mais vous sentez que la supériorité du rang est ici sans force. Ayez, s'il vous plaît, la bonté de vous retirer.

LE COMTE

Oui, le rang doit être ici sans force ; mais ce qui en a beaucoup, est la préférence que Mademoiselle vient de m'accorder sur vous, en se donnant à moi volontairement.

BARTHOLO

Que dit-il, Rosine ?

ROSINE

Il dit vrai. D'où naît votre étonnement ? Ne devais-je pas cette nuit même être vengée d'un trompeur ? Je le suis.

BAZILE

Quand je vous disais que c'était le Comte lui-même, Docteur!

BARTHOLO

Que m'importe à moi? Plaisant mariage! Où sont les témoins?

LE NOTAIRE

Il n'y manque rien. Je suis assisté de ces deux Messieurs.

BARTHOLO

Comment, Bazile! vous avez signé?

BAZILE

Que voulez-vous? Ce diable d'homme a toujours ses poches pleines d'arguments irrésistibles.

BARTHOLO

Je me moque de ses arguments. J'userai de mon autorité.

LE COMTE

Vous l'avez perdue, en en abusant.

BARTHOLO

La demoiselle est mineure.

FIGARO

Elle vient de s'émanciper[46].

BARTHOLO

Qui te parle à toi, maître fripon?

LE COMTE

Mademoiselle est noble et belle ; je suis homme de qualité, jeune et riche ; elle est ma femme ; à ce titre qui nous honore également, prétend-on me la disputer ?

BARTHOLO

Jamais on ne l'ôtera de mes mains.

LE COMTE

Elle n'est plus en votre pouvoir. Je la mets sous l'autorité des Lois ; et Monsieur, que vous avez amené vous-même, la protégera contre la violence que vous voulez lui faire  Les vrais magistrats sont les soutiens de tous ceux qu'on opprime.

L'ALCADE

Certainement. Et cette inutile résistance au plus honorable mariage indique assez sa frayeur sur la mauvaise administration des biens de sa Pupille, dont il faudra qu'il rende compte.

LE COMTE

Ah ! qu'il consente à tout, et je ne lui demande rien.

FIGARO

Que la quittance de mes cent écus : ne perdons pas la tête.

BARTHOLO, *irrité.*

Ils étaient tous contre moi ; je me suis fourré la tête dans un guêpier !

BAZILE

Quel guêpier? Ne pouvant avoir la femme, calcu-
lez, Docteur, que l'argent vous reste; et...

BARTHOLO

Eh! laissez-moi donc en repos, Bazile! Vous ne
songez qu'à l'argent. Je me soucie bien de l'argent,
moi! À la bonne heure, je le garde; mais croyez-vous
que ce soit le motif qui me détermine? *(Il signe*[47]*.)*

FIGARO, *riant.*

Ah, ah, ah, Monseigneur; ils sont de la même
famille.

LE NOTAIRE

Mais, Messieurs, je n'y comprends plus rien. Est-ce
qu'elles ne sont pas deux Demoiselles qui portent le
même nom?

FIGARO

Non, Monsieur, elles ne sont qu'une.

BARTHOLO, *se désolant.*

Et moi qui leur ai enlevé l'échelle, pour que le
mariage fût plus sûr! Ah! je me suis perdu faute de
soins.

FIGARO

Faute de sens. Mais soyons vrais, Docteur; quand la
jeunesse et l'amour sont d'accord pour tromper un
vieillard, tout ce qu'il fait pour l'empêcher peut bien
s'appeler à bon droit la *Précaution inutile.*

# DOSSIER

# BIOGRAPHIE
## 1732-1799

**1732.** Le 24 janvier, naissance à Paris de Pierre-Augustin
Caron, fils de Marie-Louise Pichon et d'André-Charles
Caron, maître horloger, qui tient boutique rue Saint-
Denis. Deux filles sont déjà nées (Marie-Josèphe et
Marie-Louise), trois autres naîtront (Madeleine-
Françoise dite « Fanchon », Marie-Julie dite « La Bécasse »
et Jeanne-Marguerite dite « Tonton »). La famille Caron
a le goût des lettres et aime la musique, qu'elle pratique
avec bonheur. L'enfance de Pierre-Augustin baigne
dans une atmosphère de douce sensualité, que l'on
retrouvera dans nombre de ses pièces.

**1742-1745.** Après de brèves études à l'école d'Alfort, il revient
travailler chez son père.

**1753.** Pierre-Augustin invente un nouveau procédé d'échap-
pement d'horlogerie, qui améliore sensiblement le
fonctionnement de ce système commandant la détente
du ressort. Il montre son invention à Lepaute, l'horloger du roi, qui se l'approprie.

**1754.** Pierre-Augustin ne s'en laisse pas conter ; il rédige un
mémoire très convaincant, le premier d'une longue
série, qui conduit l'Académie des sciences à lui reconnaître, le 23 février, le mérite de cette invention. Il est
présenté au roi et à la reine et reçoit des commandes
de la cour. Son avenir d'horloger semble tout tracé
mais la fréquentation de la cour lui ouvre de nouveaux
horizons.

1755. Il fait la connaissance des Franquet. Le mari, malade, lui vend sa charge de «contrôleur clerc d'office de la maison du roi» ou «contrôleur de la bouche». Le fils Caron est ainsi titulaire d'une charge de cour.

1756. Franquet meurt en janvier. Pierre-Augustin épouse sa veuve le 27 novembre. Il se fait appeler alors Beaumarchais, du nom d'une maison acquise par Franquet à Vert-le-Grand, bailliage d'Arpajon, et qui avait gardé le nom de l'ancien propriétaire, Beaumarchet ou Beaumarchais.

1757. Sa femme meurt d'une «fièvre putride» (tuberculose ou typhoïde). Plus tard, Beaumarchais sera accusé, calomnieusement, de s'être débarrassé d'une épouse plus âgée que lui. Il connaît la gêne jusqu'en 1760.

1758. Mort de la mère de Beaumarchais.

1759. Il est introduit auprès de Mesdames, filles du roi. Il leur enseigne à jouer de la harpe, instrument pour lequel il vient d'inventer un nouveau système de pédales. La même année, ou l'année suivante, il fait la connaissance d'un des quatre frères Pâris, qui dominent la finance française. Pâris-Duverney a fait fortune en équipant les armées du roi et a consacré une part de ses bénéfices à faire construire l'École militaire. En 1760, cette école n'est pas reconnue. Beaumarchais convainc Mesdames de s'intéresser à elle, et, par leur intermédiaire, le roi vient la visiter le 18 août. L'École militaire est ainsi officialisée. Duverney accorde une rente à Beaumarchais et l'associe à ses affaires. La fortune de celui-ci est faite.

1761. Il s'anoblit en achetant, avec l'aide financière de Duverney, un titre de secrétaire du roi, et peut dès lors porter légalement le nom de Beaumarchais.

1762. Il cherche à acquérir la charge de grand maître des eaux et forêts, charge qui, à la fois, coûte très cher et rapporte beaucoup, mais renonce devant l'hostilité des autres grands maîtres, qui lui reprochent sa naissance roturière. Il devra se contenter, l'année suivante, d'acheter la charge de lieutenant général des chasses, et présidera le tribunal sanctionnant les infractions commises sur les terrains de chasse réservés au roi.

1763. Beaumarchais achète, en janvier, une maison au 26, rue

de Condé, et y loge son père ainsi que ses sœurs Marie-
Julie et Jeanne-Marguerite. Il projette d'épouser une
jeune créole de Saint-Domingue, Pauline Lebreton,
amie de la famille, qui l'aime et qu'il aime, mais il souhaite que ce mariage soit également une affaire avan-
tageuse. Finalement, le mariage n'aura pas lieu (les
fiançailles seront rompues en 1766). Dans les premières
années 1760, il fait jouer des parades au château d'É-
tioles, chez son ami le financier Lenormant, neveu de
Pâris-Duverney et mari, pour la forme, de celle qui est
devenue Mme de Pompadour — en compensation, le
roi lui a octroyé une charge de fermier général, fort ren-
table. Par cette entrée encore modeste mais décisive
dans la carrière littéraire, Beaumarchais acquiert une
dimension qui le place au-dessus de ses pairs, les gens
d'argent et d'intrigue. Cet homme avide de reconnaissance sociale et de richesse est *aussi* un écrivain.

1764-1765. De mai 1764 à mars 1765, Beaumarchais séjourne
en Espagne comme envoyé d'un consortium dirigé
par Duverney, qui se propose d'exploiter les posses-
sions espagnoles. Il a pour mission d'obtenir auprès du
gouvernement de Madrid la concession d'approvision-
nement du dit Nouveau Monde en esclaves, de ravi-
taillement de l'armée et le droit de coloniser la
Louisiane et la Sierra Morena. Beaumarchais n'obtien-
dra pas de résultats concluants. De même, il ne parvien-
dra pas à faire épouser sa sœur Marie-Louise par Clavijo,
archiviste du roi et directeur du *Pensador*, revue littéraire et philosophique. Il mettra en forme dramatique
cet épisode dans le quatrième *Mémoire contre Goezman*.
Ce récit annonce également l'auteur d'*Eugénie*.

1766. Beaumarchais entame, avec Duverney, l'exploitation de
2 000 arpents (un arpent est l'équivalent, selon les
régions, de 3 000 à 5 000 mètres carrés) dans la forêt de
Chinon.

1767. Le 27 janvier a lieu la première représentation d'*Eugénie*, qui appartient au «genre dramatique sérieux». Le
thème de la femme séduite, abandonnée, puis finalement épousée, est développé à travers une série
confuse de péripéties. À la première, la pièce est sifflée,

mais Beaumarchais modifie le quatrième et le cinquième acte avant la deuxième représentation et permet ainsi à la pièce de poursuivre sa carrière.

1768. Le 11 avril, il épouse Madeleine Wattebled, riche veuve de Lévêque, garde général des menus plaisirs (nom donné sous la Monarchie aux dépenses extraordinaires du roi relatives aux fêtes, aux bals, aux spectacles de la cour), mort en décembre 1767. Un fils, Augustin, naît le 14 décembre.

1770. Le 13 janvier a lieu la première représentation de *Les Deux Amis, ou le Négociant de Lyon*, nouveau drame, qui met en scène un commerçant acculé à la faillite et où apparaît le thème de la paternité clandestine. L'échec est complet, la pièce est abandonnée à la dixième représentation.

Pâris-Duverney meurt le 17 juillet en ayant légué ses biens au comte de La Blache, son petit-neveu par alliance.

En novembre, la seconde femme de Beaumarchais meurt, à l'âge de trente-neuf ans.

1772. Le 1er avril 1770, Beaumarchais s'était empressé d'arrêter ses comptes avec Duverney par un acte qui établissait que ce dernier lui devait 15 000 livres et s'engageait à lui prêter 75 000 livres sans intérêt pendant huit ans. Ces clauses ne sont pas exécutées à la mort de Duverney. La Blache, qui hait Beaumarchais, veut à tout prix établir que ce dernier est un escroc. Le jugement rendu devant le tribunal dit « les Requêtes de l'hôtel » donne gain de cause à Beaumarchais, mais La Blache fait aussitôt appel auprès du Parlement de Paris. Une longue bataille juridique s'engage.

Augustin meurt en octobre et Tonton en décembre.

1773. *Le Barbier de Séville* est reçu à la Comédie-Française le 3 janvier.

Le duc de Chaulnes, pair de France, excessif et brutal, accuse Beaumarchais de lui avoir ravi sa maîtresse, Mlle Ménard, une actrice aux mœurs légères, que le duc battait et que Beaumarchais a prise sous sa protection. En une suite de péripéties, digne d'une « folle journée », le duc pourchasse Beaumarchais pour le tuer. Finalement, le duc est envoyé à Vincennes, et Beaumar-

chais, emprisonné au Fort-l'Évêque du 26 février au
8 mai. Situation fâcheuse en soi, mais plus encore au
moment où le procès La Blache impose de nombreuses
démarches. Dans une affaire de ce genre, le Parlement
a pour habitude de se rallier aux conclusions du rapporteur qui étudie le dossier. C'est donc devant celui-ci
qu'il convient de plaider. Le conseiller Goezman est
nommé rapporteur du procès La Blache devant le parlement Maupeou, et la date du jugement est fixée au
5 avril. Le 6, Beaumarchais est condamné. C'est une
défaite cuisante : il y laisse sa réputation et sa fortune,
deux mobiles déterminants de son existence. Beaumarchais, qui n'est jamais mieux lui-même que dans
l'adversité, organise une contre-attaque. Ce qui lui vaut
une accusation de corruption de la part du conseiller
Goezman. Accusation d'une extrême gravité, sanction-
née par la peine la plus grave hormis la mort. Le procès
est jugé à huis clos, et les juges ne sont pas tenus de
justifier leur jugement. Goezman peut compter sur le
réflexe corporatiste de ses collègues du Parlement.
Beaumarchais n'a plus d'autre arme que de recourir à
l'opinion publique.

L'usage du pamphlet pour susciter des mouvements
d'opinion a été remis en vigueur par Voltaire, qui ne se
contentait pas de dénoncer l'intolérance religieuse mais
s'en prenait également au mauvais fonctionnement des
institutions judiciaires. En janvier 1771, à l'instigation
du duc d'Aiguillon et du chancelier Maupeou, Louis XV
supprimait les anciens parlements, constitués de magistrats propriétaires de leur charge, souvent incompé-
tents, pour leur substituer des conseils de magistrats
fonctionnaires. Tous ceux qui voient dans cette mesure
une atteinte à leurs privilèges se mobilisent contre elle
et la dénoncent comme une atteinte aux droits des
citoyens. Voltaire soutient Maupeou, mais la majorité de
ceux qui font l'opinion est contre. Beaumarchais profite
de ce courant d'opposition majoritaire et le gagne à sa
cause par la publication de *Mémoires*, qu'il faut considé-
rer comme des pièces majeures de son œuvre littéraire.
Trois mémoires sont écrits en 1773.

**1774.** Un quatrième mémoire est publié en février. Beaumarchais ne peut plus être condamné, il est trop populaire
(il a même réussi à gagner Voltaire à sa cause). D'où un
jugement qui évite de juger. Le 26 février, Beaumarchais est blâmé (mais le blâme n'est pas administré) et
privé de ses droits civiques. Dans le même temps, il est
chargé de missions secrètes par Louis XV. De mars au
début de mai, Beaumarchais séjourne en Flandres et à
Londres. Il obtient alors de Théveneau de Morande la
destruction d'un libelle contre la du Barry, maîtresse du
roi. En juin, il arrache à un certain Angelucci la promesse
de destruction d'un pamphlet contre Louis XVI, qui a
succédé à Louis XV, mort le 10 mai. Le pamphlétaire se
dédit, si bien que Beaumarchais se lance à sa poursuite
en Hollande, puis jusqu'à Vienne, où il arrive le 20 août,
se prétendant victime d'une attaque de brigands. Reçu
le lendemain par l'impératrice Marie-Thérèse, il paraît
suspect et est retenu prisonnier dans sa chambre jusqu'au 23 septembre. Il est libéré à la demande des ser-
vices français. Dans ces affaires, on peut penser à bon
droit que Beaumarchais, qui a avant tout le souci d'être
réhabilité aux yeux du roi, exagère son rôle.
L'annulation, le 6 septembre, de la sentence de blâme
prononcée le 26 février offre à Beaumarchais la possibilité de plaider à nouveau contre La Blache.

**1775.** L'arrêt du 6 avril 1773 étant lui-même cassé le 28 janvier, l'affaire est portée devant le parlement d'Aix-en-
Provence.
Le 23 février, *Le Barbier de Séville* est, enfin, créé à la
Comédie-Française. Beaumarchais voyage, au cours de
l'année, en Angleterre et en Flandres avec le titre de
chargé de mission. Il négocie, avec le chevalier d'Éon,
la restitution de documents, compromettants pour
la France, concernant un projet de débarquement
des troupes françaises en Angleterre. Celui-ci cédera le
4 novembre.

**1776.** Lors de son séjour à Londres, Beaumarchais a pris
contact avec des émissaires des Insurgents. Plus qu'aucun autre Français, il va déployer ses efforts pour leur
apporter son soutien. Son engagement auprès des

Insurgents lui permet de concilier le souci qui continue de l'animer d'être pleinement réhabilité, son intérêt commercial et financier, et son goût pour la liberté politique et l'indépendance des peuples. Il élève alors ses vues au niveau de la politique internationale en faisant preuve d'une grande lucidité.

Le conflit entre l'Angleterre et les colons remonte déjà à une dizaine d'années : ces derniers sont maintenus en état de minorité politique et de dépendance économique. Le 4 juillet 1776, le Congrès de Philadelphie proclame l'indépendance des colonies anglaises : les États-Unis d'Amérique sont nés.

Beaumarchais adresse trois mémoires à Louis XVI le pressant d'intervenir auprès des Insurgents. Le roi et son secrétaire d'État aux Affaires étrangères, Vergennes, retiennent le principe d'une aide en sous-main aux Américains et confient sa réalisation à Beaumarchais. Les secours seront livrés par lui, simple particulier, tandis que les Américains paieront en expédiant des produits coloniaux. Pour lancer le processus, Vergennes accorde un million de livres à Beaumarchais (10 juin 1776), auquel s'ajoute un million du gouvernement espagnol (11 août 1776). Pour camoufler ses activités, Beaumarchais fonde une maison de commerce franco-espagnole fictive, Roderigue Hortalez et Cie, qu'il installe à l'hôtel des Ambassadeurs de Hollande (aujourd'hui 47, rue Vieille-du-Temple). Il affrète une flotte et expédie, au début de 1777, pour cinq millions de marchandises, des armes essentiellement. Les Américains ne respecteront pas leur engagement commercial, et Vergennes accordera à Beaumarchais un troisième million. Il devient de plus en plus difficile au gouvernement français de ne pas intervenir ouvertement dans le conflit : la guerre a réveillé l'anglophobie latente de l'opinion française et les Américains sont très populaires. Benjamin Franklin reçoit à Paris, en septembre 1776, un accueil très chaleureux. Après la victoire des Insurgents à Saratoga, le 17 octobre 1777, Louis XVI signe un traité de commerce, d'alliance et d'amitié avec les États-Unis. En avril 1779, la France entraîne l'Espagne dans le conflit. La guerre ouverte permet alors à Beaumarchais de travailler pour son propre compte. Il réussit finalement à tirer profit de cette opération en poursuivant un commerce fructueux avec les États-Unis, le conflit terminé. Il reste qu'en dépit de déboires commerciaux en cours d'opération il a poursuivi cette dernière au nom de l'idéal politique. Ce mélange d'idéalisme et d'intérêt n'est pas, à cette époque, conçu comme contradictoire.

1777. Eugénie, fille de Beaumarchais et de Marie-Thérèse de Willermawlas, sa maîtresse depuis 1774, naît à l'hôtel des Ambassadeurs de Hollande.

Le 3 juillet, Beaumarchais organise la première réunion des auteurs dramatiques soucieux de défendre leurs droits. Ils fondent la Société des auteurs dramatiques. Il faudra attendre la Constituante (décret du 13 janvier 1797) pour qu'un auteur vivant ne puisse être joué sans son autorisation.

1778. En juillet, Beaumarchais gagne son procès contre La Blache devant le parlement d'Aix.

1779-1780. Beaumarchais est, comme souvent, mobilisé sur plusieurs fronts : commerce avec les Insurgents (voir *supra*, 1776), début de l'édition dite «de Kehl» des œuvres de Voltaire, démêlés avec les Comédiens-Français à propos des droits d'auteur.

Quand il reprend le projet d'édition des œuvres de Voltaire, abandonné par Panckoucke, Beaumarchais, comme d'habitude, ne dissocie pas intérêt commercial et enthousiasme littéraire. Il voue une grande admiration à Voltaire. Pour se prémunir contre les attaques des deux anciens ennemis de Voltaire, le Parlement et le clergé, i. s'assure la protection de Maurepas, ministre voltairien. L'arrangement veut que l'édition s'imprime à l'étranger (à Kehl) et que les autorités tolèrent l'introduction des volumes en France. Au lieu des 15 000 souscriptions escomptées, Beaumarchais n'en recueille que 2 000, et subit un déficit estimé à 500 000 livres. Dans cette affaire, Beaumarchais défend une conception très moderne de l'édition, en publiant tout l'œuvre de Voltaire.

1781. Le 29 septembre, *Le Mariage de Figaro* est reçu à l'unanimité à la Comédie-Française, mais le roi s'oppose à la représentation.

1782-1783. Beaumarchais multiplie, en vain, les lectures du *Mariage de Figaro*. Le 13 juin 1783, la représentation prévue au théâtre des Menus-Plaisirs est annulée, au dernier moment, sur ordre du roi. Une représentation privée est organisée, le 26 septembre, à Gennevilliers, chez le comte de Vaudreuil.

1784. Le 27 avril a lieu la première, triomphale, du *Mariage de Figaro*. La même année, le livret de *Tarare* est accepté par l'Académie royale de musique.

1785. L'accueil réservé à sa pièce ne marque pas la fin des ennuis de Beaumarchais. Ayant fait allusion, dans un article, aux « lions et tigres » qu'il a dû vaincre pour faire jouer sa comédie, il provoque la colère du roi, qui le fait enfermer à Saint-Lazare, la prison des mauvais garçons, du 8 au 13 mars. Louis XVI est décidément inconstant. En avril, la pièce est publiée, accompagnée de la préface. En août, *Le Barbier* est repris à la cour, avec Marie-Antoinette dans le rôle de Rosine et le comte d'Artois dans celui de Figaro. En novembre, *Eugénie* est remontée.

Cette même année, Beaumarchais, intéressé à la Compagnie des eaux des frères Périer, polémique contre Mirabeau, engagé par une compagnie rivale.

1786. Le 8 mars, Beaumarchais épouse Marie-Thérèse ; Eugénie a alors neuf ans. La première de l'opéra de Mozart *Les Noces de Figaro* a lieu en mai, au Burgtheater de Vienne.

1787. Cette année marque le début de l'affaire Kornman. Mariée à quinze ans à un banquier alsacien, auquel elle apportait une dot confortable, Mme Kornman est séduite par Daudet de Jossan, syndic royal à Strasbourg. Kornman favorise cette liaison tant que l'amant de sa femme lui sert d'intermédiaire dans des affaires fructueuses. Lorsque le syndic perd sa place, et son utilité, Kornman fait enfermer sa femme dans une maison de force, bien qu'elle soit enceinte, parce qu'elle refuse de lui abandonner sa dot. Prévenu et indigné, Beaumar-

chais fait transférer Mme Kornman dans la maison d'un
accoucheur et s'institue son conseiller. Bergasse, avocat
de Kornman, rédige un premier mémoire contre lui.
Le 8 juin a lieu la première représentation de *Tarare* à
l'Opéra. Ce même mois, Beaumarchais fait l'acquisition
d'un terrain près de la Bastille et y fait construire une
luxueuse demeure par l'architecte Lemoyne.

1788. À la suite de la publication, par Bergasse, d'un nouveau
mémoire, Beaumarchais porte plainte en diffamation.

1789. Le 2 avril, Kornman et Bergasse sont condamnés comme
calomniateurs. Défaits juridiquement, ils n'en sont
pas moins soutenus par l'opinion publique. Dans cette
affaire, Beaumarchais n'a, il est vrai, que des alliés compromettants, tous liés à ce qui allait devenir l'Ancien
Régime. Aussi le procès Kornman devient-il *son* procès et se voit-il fustigé par Bergasse comme le représen-
tant d'un régime honni. Aux anciennes calomnies s'en
ajoutent de nouvelles : Beaumarchais ne réussira jamais
plus à retrouver la faveur de l'opinion. L'accusation
proprement politique de Bergasse va peser sur lui toute
la fin de sa vie, en dépit de ses efforts. Ses relations avec
la Révolution vont être tumultueuses.
Le 15 juillet, il pénètre avec vingt-quatre hommes en
armes dans la Bastille et est chargé, le mois suivant,
de surveiller sa démolition. En août, sur dénonciation,
il est exclu de l'assemblée des représentants de la
commune de Paris. Après avoir réfuté toutes les accusa-
tions portées contre lui, il est réintégré dans l'assemblée, en septembre.

1790. *Tarare* est repris, le 3 août, avec un nouveau dénouement, «le couronnement de Tarare», occasion pour
Tarare d'établir la monarchie constitutionnelle. Alors
que Beaumarchais veut, par cette modification, donner
au public une leçon de juste milieu, il se met à dos tous
les partis.

1791. En février, *La Mère coupable* est acceptée à la Comédie-
Française, mais Beaumarchais la retire en décembre, car
la conjoncture ne lui semble guère favorable.
Au printemps, la famille Beaumarchais s'installe dans
la maison dressée en face de la Bastille, à l'entrée du

populeux et populaire faubourg Saint-Antoine. Beaumarchais organise, pour son inauguration, une fête
en musique, très courue, sous la présidence du duc
d'Orléans. La demeure est somptueuse, mais avoue le
parvenu. Son luxe choque, et ne favorise pas la réconci-
liation de Beaumarchais avec l'opinion populaire.

1792. Le 3 mars, le libraire belge Delahaye propose à Beaumarchais d'acheter 60 000 fusils, dont il dispose, pour
le compte du gouvernement français. Beaumarchais
accepte. L'Assemblée législative se prépare à exporter la
Révolution et va entamer une guerre. Pour la mener, la
France a besoin d'armes, et qui les fournira en tirera
grand profit. Belle occasion, en outre, pour Beaumarchais, de gagner un brevet de patriotisme et de se délivrer de cette impopularité qui l'afflige tant. L'affaire est
compliquée par les conditions imposées par le gouvernement de Hollande et l'hostilité des fournisseurs
d'armes installés. En dépit de deux traités, signés en
mars et en juillet avec les ministres intéressés, Beaumarchais ne réussit pas à faire acheter les fusils par le gouvernement français. Le 4 juin, il est accusé à la tribune
de l'Assemblée, par Chabot, un capucin défroqué, de
cacher des armes dans Paris. Beaumarchais se défend
sans convaincre. Malgré tout, la première représentation de *La Mère coupable* a lieu le 26 juin au théâtre du
Marais, qui a ouvert ses portes l'année précédente. Le
11 août, le peuple du faubourg envahit sa maison et
la fouille de fond en comble pour retrouver les fusils
— ceux-ci sont toujours en Hollande. Le 23 août, Beaumarchais est arrêté et enfermé, le 27, à l'Abbaye. Le 29,
il est délivré par Manuel, le procureur syndic de la commune de Paris, échappant ainsi aux massacres de septembre. Il ne doit pas, cette fois, sa relaxation au
mémoire qu'il n'a pas manqué de rédiger, mais à l'intervention auprès de Manuel, qui n'est pas resté insen-
sible à ses charmes, de son ancienne maîtresse, Amélie
Houret, devenue comtesse de La Marinaie. À nouveau,
Beaumarchais fait front. Il est finalement entendu par la
commission des armes et reçoit la mission d'achever
l'affaire. Lebrun, le ministre des Affaires étrangères, lui

délivre à contrecœur un passeport pour la Hollande, mais tente de le faire assassiner à La Haye. Beaumarchais se réfugie à Londres, où il apprend que sur le rapport de Lecointre la Convention l'a décrété d'accusation le 29 novembre 1792.

1793. Beaumarchais arrive à Paris en mars, muni d'un long mémoire justificatif, les *Six Époques*. Un texte où fourmillent les propos contre-révolutionnaires, où Marat est tourné en ridicule et la Terreur dénoncée, et dans lequel est affirmé le principe de la loi contre les privilèges et l'arbitraire. Il est distribué partout; la contre-offensive réussit. En mai, le Comité de Salut public suspend le décret d'accusation, nomme Beaumarchais commissaire de la République et le charge de faire parvenir, enfin, les fusils à Paris en lui octroyant une somme de 200 000 francs-or. Beaumarchais se démène entre Amsterdam, Bâle, Hambourg et Londres. Mais les fusils ont fini d'intéresser le Comité de Salut public, qui a réussi à intensifier la production d'armes. Finalement, un navire anglais s'empare de la cargaison et la transporte à Portsmouth en octobre 1794. Fin de l'affaire.

1794. Quoique commissaire de la République, Beaumarchais est inscrit sur la liste des émigrés. En juillet, sa femme, sa fille et sa sœur Marie-Julie sont emprisonnées et ne doivent leur salut qu'à la chute de Robespierre. Beaumarchais vit misérablement en Allemagne, le plus souvent à Hambourg.

1795. En septembre, les représentations de *Tarare* reprennent.

1796. En juin, Beaumarchais est définitivement rayé de la liste des émigrés par le Directoire; le 5 juillet, il est de retour à Paris. Le 10, sa fille se marie avec André-Toussaint Delarue.

1797. Le 5 mai, les Comédiens-Français reprennent *La Mère coupable*, dans leur salle provisoire de la rue Feydeau. L'auteur est acclamé.

1798. Marie-Julie meurt au domicile de son frère, en mai.

1799. Dans la nuit du 17 au 18 mai, durant son sommeil, Beaumarchais meurt d'apoplexie. Bien que gêné par une surdité quasi totale, il est resté actif jusqu'à la fin, s'efforçant de rétablir une situation financière compromise et rédigeant, encore et toujours, des mémoires sur les sujets les plus divers. «Toujours, toujours, il est toujours le même», comme le dit le refrain d'une chanson qu'il a composée sur lui-même.

En 1822, ses restes sont transférés au Père-Lachaise.

# NOTICE

*Le Barbier* à la scène

Beaumarchais, on le sait, ne plaisante pas avec l'interprétation de ses pièces. Il en arrête lui-même la distribution. Trois des principaux acteurs choisis pour *Le Barbier* ont déjà joué dans ses drames. Figaro est interprété par Préville, cinquante-cinq ans, gai sans outrance et qui restera titulaire du rôle jusqu'à sa retraite, en 1786. Almaviva l'est par Bellecour, cinquante ans, élégant et séducteur à la scène comme à la ville, adoré du public... et détesté par Voltaire comme «bellâtre»! Rosine est représentée par la «petite Doligny», ingénue à la scène comme à la ville elle aussi, naturelle dans ce rôle de jeune première. Des Essarts, trente-huit ans, l'obésité heureuse, crée le rôle de Bartholo — il le conservera jusqu'en 1791. Bazile est joué par Augé, grand et maigre. Dugazon prend le rôle de La Jeunesse tellement à cœur que Beaumarchais doit le freiner dans ses élans d'éternueur : «Ce petit rôle est gai ou dégoûtant selon qu'il est bien ou mal rendu. Et monsieur Dugazon est prié d'arranger les sublimes saillies de ce rôle, qui sont les éternuements, de façon qu'on puisse entendre ce que dit le docteur dans cette scène, parce que ce n'est pas les pires choses qu'on a mises dans sa bouche.»

Bien que l'affaire des droits d'auteur empoisonne les relations avec les acteurs, le succès est tel que Beaumarchais exige les «grands jours» de la Comédie (voir Genèse, p. 184).

Il existe naturellement de nombreuses mises en scène du *Barbier* : les plus faciles d'accès, grâce à la richesse de documentation de la bibliothèque-musée de la Comédie-Française, qui renferme une partie des manuscrits de Beaumarchais, sont celles qu'a données cette troupe, salle Richelieu ou en tournée. Jouée régulièrement de 1775 à 1950 par la Comédie, la pièce ne fut cependant plus donnée qu'épisodiquement par la suite.

Dans le rôle de Figaro, Dazincourt (le Figaro du *Mariage*) succéda à Préville, puis ce fut Thénard en 1809, Régnier de 1831 à 1865, Constant Coquelin de 1863 à 1881, André Brunot de 1907 à 1939, Pierre Dux pour ses débuts en 1945, Robert Manuel en 1945 et 1946, Jean Piat de 1948 à 1960, Alain Pralon de 1970 à 1972, Richard Berry et Yves Pignot dans la mise en scène de Michel Etcheverry en 1979-1980.

Quant à Almaviva, Molé en reprit le rôle, qui était tenu par Bellecour en 1779, avant qu'il ne fût l'Almaviva du *Mariage*. Parmi les plus célèbres tenants du rôle : Armand, de 1806 à 1829, Bressant, très marquant, de 1857 à 1874, Dehelly de 1907 à 1939, Jean Weber de 1942 à 1949, Jacques Toja en 1955 et 1956, Michel Duchaussoy en 1970, Raymond Acquaviva et Joël Demarty en 1979-1980.

Rosine fut incarnée par Mlle Mezeray de 1799 à 1813, Mlle Bourgoin de 1814 à 1829, Mlle Fix de 1852 à 1862, Blanche Berretta de 1877 à 1901, Madeleine Renaud de 1925 à 1943, Gisèle Casadessus de 1934 à 1949, Micheline Boudet de 1955 à 1960, Nicole Calfan et Catherine Salviat jusqu'en 1970. Marceline Collard fut la Rosine d'Etcheverry.

Les derniers Bartholo furent Louis Seigner et François Chaumette.

À la Comédie-Française, on ne retient que trois grandes mises en scène, ces cinquante dernières années : celles de Pierre Dux en 1942, avec une reprise en 1970, de Michel Etcheverry en 1978 (en tournée) et en 1979-1980 (à Paris), de Jean-Luc Boutté en 1990-1991. Cette dernière mérite une mention spéciale pour l'originalité de ses décors et son parti pris affiché de montrer les ficelles d'un théâtre qui se dit théâtre en permanence et qui décline savamment tous les ressorts du poncif.

Le travail de Boutté, illustré par la musique de Jean-Marie Sénia, filmé pour la télévision, mettait en scène Jean-Pierre Michaël en Almaviva, Roland Bertin en Bartholo, Anne Kessler en Rosine, Thierry Hancisse en Figaro, Marcel Bozonnet en Bazile, Jean-François Rémi jouant La Jeunesse et le notaire en

alternance, enfin Loïc Brabant pour L'Éveillé et le notaire. Le
décor de Louis Bercut, supprimant fenêtres et grilles, y com-
pris la jalousie, gommait toute allusion au cadre espagnol. Les
paravents des actes II et III, absents du IV, suffisaient à créer la
rupture avec les toits d'une ville, visibles au loin. Dans un décor
de ciel bleu semé de nuages pour l'acte I, Rosine faisait tomber
sa partition par l'ouverture d'un nuage coulissant. À l'acte II,
tels des pantins, L'Éveillé et La Jeunesse surgissaient du plancher au travers d'une trappe, disaient leurs répliques et étaient
aussitôt engloutis. Au dernier acte, Figaro demeurait juché sur
une échelle dressée dans la nuit, d'où il disait sa part, jusqu'à
la fin. De simples paravents diffractaient l'espace en de mul-
tiples lieux hors scène, propres à éloigner Rosine de toute
tentative d'évasion (chez elle, chez Marceline, où elle doit s'enfermer à double tour ; elle semblait même, à l'acte II, séquestrée derrière sa table à ouvrage). Les couleurs des costumes
étaient particulièrement signifiantes : pour l'intérieur, et pour
Bartholo, le pourpre fané ; pour sa pupille, le rose ; pour
l'extérieur, l'azur ; Figaro, comme passeur, portait au revers de
son habit couleur de ciel les couleurs de Rosine ; et Lindor, qui
arborait au lever du rideau un costume couleur de soleil
levant, revêtait au finale les mêmes tons que son allié, signant
ainsi leur parenté d'action et de cœur.

Cette mise en scène « résolument jeune », avec pour les rôles
d'Almaviva, de Rosine et de Figaro des acteurs inexpérimentés,
« funambules », « fous d'amour » comme les voulait Boutté,
semblait inventer le topos de la « précaution inutile ». Sénia
avait veillé à ne pas déplacer le timbre des voix de la parole au
chant et mettait en évidence une fraîcheur, un naturel, une
cadence qui faisaient croire que Beaumarchais enfantait des
personnages nouveaux, encore verts, auxquels il saurait toutefois donner un avenir.

# SOURCES, GENÈSE ET FORTUNE
## DU TEXTE

*Le Barbier* fait référence, pour le public de l'époque, à un fonds culturel connu, qui crée une complicité entre la scène et la salle. Il réfère, en partie, à la tradition de la *commedia dell'arte* par les personnages (l'amoureux, l'ingénue, le docteur Balaordo, Pantalon, le vieillard ridicule) et par les situations (enlèvements, déguisements...). Les parades, qui furent les premières productions de Beaumarchais, puisaient largement dans ce fonds et rebattaient gaillardement le thème du barbon évincé par un jeune rival. En outre s'était développée, au XVIIᵉ et au tout début du XVIIIᵉ, toute une tradition de la «précaution inutile», présente dans une nouvelle de Scarron portant ce titre (1654), dans *L'École des femmes, Le Sicilien* et six autres pièces de Molière, dans une *Précaution inutile* de Fatouville (1692), dans *On ne s'avise jamais de tout,* de Sedaine (1691) et dans *Les Folies amoureuses,* de Regnard (1704). Comme si tout était déjà contenu dans les vieilles recettes du comique et que l'invention résidât essentiellement dans la disposition talentueuse et brillante des éléments. Enfin, grâce à ce voyage en Espagne de 1764-1765 (voir Biographie, p. 167), Beaumarchais avait pris directement contact avec les scènes madrilènes, leurs «intermèdes» ou farces, dont il avait retenu les chansons, les mélodies et le personnage typique du sacristain (jeune gaillard aux remarquables aptitudes amoureuses). Par cet espagnolisme de convention, qui tisse la toile de fond de la trilogie, il s'inscrivait dans une mode satirique propre aux Lumières, celle du *picaro*, l'aventurier, le vaurien, héritée du siècle d'or espagnol (1550-1650), adaptée en France par Lesage *(Gil Blas)*, en Angleterre par Defoe *(Moll Flanders)* et Fielding *(Tom Jones)* et tenant lieu d'instrument à une critique de la société d'ordres.

## GENÈSE

> *« D'abord il a fallu la faire*
> *Souvent ensuite la défaire*
> *Au gré des acteurs la refaire… »*

chante plaisamment Beaumarchais avant la première du *Barbier*. De fait, sans être une « affaire » de l'ampleur de celle du *Mariage*, le cheminement du texte jusqu'aux planches constitue à soi seul une petite odyssée.

À l'origine, un *Sacristain I*, dont on ne possède qu'un cahier et qu'on peut lire, grâce à J.-P. de Beaumarchais, dans le numéro de la *RHLF* de novembre-décembre 1974. Probablement joué chez Lenormant d'Étioles, cet ouvrage, le plus ancien avant-texte connu du *Barbier*, met en scène un Lindor sacristain chargé de la leçon de musique et qui se déguise entre autres en soldat ivre, un Bartholo plus sot que la mouture finale, marié et déficient, un Bazile, et une amoureuse nommée Pauline, comme la fiancée créole de Beaumarchais. Dans un autre extrait figure l'orage final, propice à l'enlèvement, à des déguisements effrayants et à la punition du méchant barbon. Dans une seconde version, intitulée *Sacristain II*, Pauline, après la rupture avec Mlle Lebreton, est devenue Rosine, et Lindor, le C. Enfin dans un autre manuscrit, un cahier de cinq doubles feuilles d'esquisses, Lindor est marié et délaisse son épouse, les déguisements se sont multipliés et Rosine, gourgandine, participe à la grivoiserie accusée de l'ensemble. De Figaro, nulle trace dans cette première étape du travail.

La deuxième étape est constituée par l'écriture (illustrée d'airs italiens et espagnols) d'un opéra-comique portant le titre de *Barbier de Séville*. Rosine est devenue une pupille opprimée, le Comte se dévoile au finale sous le nom d'Almaviva. L'opéra s'achève sur le châtiment de Bartholo à grand renfort de diables, comme dans le divertissement d'Étioles. Changement notoire, Beaumarchais a soulagé la dignité du Comte en confiant les basses besognes à Figaro mais en donnant, du même coup, l'initiative au barbier. Le personnage était créé, sans recours cette fois à la typologie théâtrale conventionnelle. On peut certes voir des liens entre Figaro et les valets de la tradition, mais il faut alors rattacher ce dernier aux Sbrigani et Scapin, valets émancipés et non faire-valoir de leur maître. Le Comte, pour sa part, est redevenu célibataire et, par bienséance, Bartholo n'est plus limité et battu, Rosine est devenue sage et réservée. Les Italiens, cependant, refusent l'opéra parce qu'un des leurs, autrefois perruquier, ne supporte pas de se voir ainsi rappelé à son ancien état, et parce que l'œuvre de Beaumarchais présente trop de ressemblances avec un autre opéra-comique, celui de Sedaine et Montigny. Nous sommes en 1772.

La troisième et la plus tumultueuse des étapes s'étend sur deux années (1773-1775) et se joue sur arrière-plan de conflit avec les Comédiens-Français pour la reconnaissance des droits d'auteur, épisode qui ne trouvera son heureux dénouement qu'en 1791, après une partie serrée.

Le 3 janvier 1773, lecture par Préville aux Comédiens-Français enthousiastes d'une pièce de Beaumarchais intitulée *Le Barbier de Séville*, qui reçoit l'approbation du censeur Marin le 12 février et est mise immédiatement en répétitions. Mais le 11 février a éclaté l'affaire du duc de Chaulnes (voir Biographie, p. 168-169). Beaumarchais est mis en prison et, le 17 février, tout est ajourné. Jusqu'à la fin de l'année 1773, Beaumarchais se bat contre Goezman et le parlement Maupeou. En 1774, il gagne devant l'opinion et fait approuver son *Barbier* par un deuxième censeur, Artaud, le 5 février : le second manuscrit contient désormais des allusions à la bataille judiciaire en cours. Bazile est devenu Guzman. Une première représentation est annoncée pour le 12 février, appuyée par Sartines, lieutenant de police, et par Marie-Antoinette, la future reine de France. Mais la favorite, Mme du Barry, qui aime à contrecarrer les plans de la dauphine, fait interdire la pièce le 26, avant-veille de la première. Beaumarchais est blâmé et, occupé par ses activités d'agent secret, il laisse tomber l'affaire. Fin 1774, il rentre d'Autriche et en grâce. Un troisième censeur, l'auteur des *Égarements du cœur et de l'esprit*, Crébillon fils, autorise la pièce le 29 décembre. Emporté par sa verve, Beaumarchais a alourdi sa pièce, par dédoublement du troisième acte, d'un cinquième qui fait de l'ensemble « un remplissage de trivialités, de turlupinades, de calembours, de jeux de mots bas et même obscènes », dit un journaliste. La pièce, promue par une habile campagne de lectures, est représentée le jeudi 23 février 1775 : c'est un four. En trois jours, Beaumarchais émonde son texte, retranchant avec clairvoyance tout ce qui peut l'être pour ramener la pièce aux quatre actes d'origine. Il ne conserve que le seul ajout de la calomnie. La représentation du dimanche 26 est un succès ; dès le premier mars, *Le Barbier* obtient les « grands jours » (lundi, mercredi et samedi) ; on joue le 14 devant la cour à Versailles. La saison se clôt sur un succès le 1er avril. Reprise à la cour le 2 janvier 1776, elle triomphe au Petit Trianon, le 19 août 1785, avec Marie-Antoinette en Rosine et d'Artois, allié de Beaumarchais, en Figaro. Cette réussite n'empêche pas les critiques acerbes : si Grimm approuve sans réserves dans sa *Correspondance littéraire de décembre 1775*, le *Journal* de Bouillon, en mai, assassine la pièce. Beaumarchais répond, comme à la parade, dans sa *Lettre modérée*, qui s'apparente fort au jeu préalable sur le balcon des spectacles de la Foire (« L'auteur, vêtu modestement et courbé... »).

FORTUNE DU TEXTE

Dans cette lettre-préface au *Barbier* figurait en germe l'action d'un acte supplémentaire qui formerait l'intrigue du *Mariage* (p. 24-25) et peut-être celle du dernier volet de la trilogie, *La Mère coupable* (p. 30 : « Eh ! qui sait si son Excellence Madame la Comtesse Almaviva... »). Le personnage de Figaro disposait d'un bel avenir et n'avait manifestement pas donné toute sa mesure. Rajeuni et démarié, il deviendrait « le beau, le gai, l'aimable Figaro » vanté par Marceline dans la seconde comédie, folle et brillante ; vingt ans après, le valet fidèle reprendrait du service dans l'intrigue pour sauver ses maîtres des griffes de « l'autre Tartuffe », dans le drame *La Mère coupable*.

C'est à l'Opéra que l'œuvre de Beaumarchais connaîtra la

plus grande fortune. Si celui de Beaumarchais, refusé puis perdu, ne fit pas recette, sa pièce inspira nombre de librettistes ou de compositeurs italiens, désireux de la faire entrer dans le répertoire de l'*opera buffa*, léger et pétillant, en vogue dans l'Europe entière. Figaro fit par conséquent son entrée sur la scène lyrique à Hambourg en 1776 avec F. L. Benda, à Saint-Pétersbourg en 1782 avec Paisiello, à Malte en 1796 avec Isouard, à Dresde en 1816 avec Morlacchi et à Rome avec Rossini. De cette profusion, la postérité a surtout retenu *Le Barbier* de Rossini, quoique la première eût été un fiasco dû à la cabale des dévots de Paisiello. L'opéra de Rossini, composé en treize jours sur un livret de Sterbini en deux actes, bouscule par sa démesure l'élégance de l'opéra bouffe ; il reprend les moments comiques de la pièce française, mais Rosina devient une jeune femme maîtresse de ses moyens et de ses buts et qui entend bien séduire le jeune Lindoro. Quant aux relents de critique sociale, les autorités pontificales ayant la ferme intention de reprendre les esprits en main après la fin de l'épopée napoléonienne, il était surtout question de les gommer. Nulle rivalité entre le Comte et son valet dans l'opéra rossinien : il ne viendrait pas à l'esprit de cet Almaviva-là de se référer à une quelconque loi. Le pouvoir de l'argent est traité de façon cynique, dans le duo de l'or notamment. Figaro, guérisseur entremetteur est fier d'avoir ses entrées partout. Il éclate d'autosatisfaction et ne songe pas à revendiquer. En vendant chèrement ses talents d'intrigant, il se dédommage de son infériorité sociale.

# BIBLIOGRAPHIE SÉLECTIVE
## ET COMMENTÉE

Boissinot — Lasserre, *Techniques du français II. Langages litté-raires*, Bertrand-Lacoste.
Ouvrage scolaire, précis et éclairant sur la manière de lire le texte de théâtre, concevoir son principe de communication immédiate, être sensible aux différents niveaux de savoir.

Giudici Enzo, *Beaumarchais nel suo è nel nostro tempo : il* Barbier de Séville, Rome, Dell'Atenes, 1964.
Ouvrage dans lequel l'auteur souligne l'autonomie de cha-cune des trois grandes œuvres théâtrales de Beaumarchais, le *Barbier*, le *Mariage* et *La Mère coupable*.
Nous soutenons, pour notre part, la thèse d'une profonde cohérence de la trilogie.

Hubert Marie-Claude, *Le Théâtre*, Armand Colin, coll. Cursus, 2ᵉ éd., 1988, p. 105-132.
Exposé très clair de l'histoire et des caractéristiques du drame bourgeois.

Pomeau Jean, *Beaumarchais ou la Bizarre Destinée*, PUF, coll. Écri-vains, 1987.
La meilleure introduction à la vie et à l'œuvre de Beaumar-chais, écrite dans un style alerte et brillant, en parfaite har-monie avec son sujet.

Scherer Jacques, *La Dramaturgie de Beaumarchais*, Librairie Nizet, 4ᵉ éd., 1994.
Ouvrage de référence, qui embrasse tout l'œuvre théâtral de Beaumarchais.

Ubersfeld Anne, *Lire le théâtre*, Messidor-Éditions sociales, 1982.
Ouvrage de base pour comprendre la notion de théâtralité.

# NOTES

**1.** Vers 580 de la *Zaïre* de Voltaire, prononcé par le vieux prince Lusignan, dernier des souverains chrétiens de Jérusalem, pleurant les deux enfants qu'il croit perdus depuis vingt ans. Cette citation rappelle avec humour la paternité littéraire malheureuse de Beaumarchais, qui se vit interdire successivement son *Barbier* en quatre actes puis en cinq (voir Notice, p. 178).

**2.** Antiphrase, ironique comme l'ensemble de cette préface. Il n'y a qu'un pas de la modération affectée à la révolte (voir p. 100). Cette «lettre» au lecteur par l'auteur «vêtu modestement et courbé» est un véritable «jeu préalable sur le balcon» tel qu'en pratiquaient les acteurs de la Foire devant leur tente pour attirer le public.

**3.** Le barbier est celui qui exerce la fonction de faire la barbe conjointement à celle de chirurgien, type social qui existait encore récemment en pays musulman. Le conflit entre médecins et barbiers semble encore vivace dans la pièce : jadis, les médecins se voulaient philosophes des faits de nature *(physici)* et dédaignaient la pratique de la chirurgie. En outre, jusqu'au début du XIIIᵉ siècle, la science et la pratique médicales étaient réservées aux moines mais, l'Église «abhorrant le sang», la chirurgie fut abandonnée à des laïcs en grande partie illettrés. Les préceptes de Galien (IIᵉ siècle), adoptés par le christianisme, furent intangibles jusqu'au XVIIᵉ siècle, époque à laquelle les barbiers-chirurgiens furent reconnus par la Faculté et devinrent maîtres chirurgiens : hommes de terrain, ils étaient en effet très prisés du public et soutenus par la cour. Cela explique les différentes compétences déclinées par Figaro. Jean-Pierre de Beaumarchais, qui souligne l'utilité dramatique de cette fonction de médicamenteur et de barbouilleur, suggère également que, « faire la barbe » signifiant alors faire la nique, il y aurait quelque bonheur à avoir fait de ce valet un barbier.

4. Médecin suisse contemporain de Beaumarchais, célèbre par son traité *De la santé des gens de lettres*.

5. Le *Journal encyclopédique par une société de gens de lettres*, édité à Bouillon, en Belgique, avait publié, le 1er avril 1775, un article critiquant les invraisemblances du *Barbier*. Sous l'Ancien Régime, un ouvrage ne pouvait paraître qu'après *approbation* de la censure ; l'éditeur obtenait alors l'exclusivité, dite *privilège*.

6. Verge d'airain grâce à laquelle Moïse fit jaillir l'eau du rocher.

7. Jacob franchit le Jourdain en s'appuyant sur son bâton, son seul bien ; mais l'expression désigne aussi la baguette du prestidigitateur.

8. Réprobation : correction, punition selon le sens latin.

9. *Eugénie* (1767) et *Les Deux Amis* (1770). Beaumarchais, à la suite de Diderot, a toujours pensé la supériorité du genre sérieux et l'a exprimée dans la préface d'*Eugénie, essai sur le genre dramatique sérieux* : « Il est de l'essence du genre sérieux » (qui montre les hommes absolument tels qu'ils sont) « d'offrir un intérêt plus pressant, une moralité plus directe que la tragédie héroïque » (outrée), « et plus profonde que la comédie plaisante » (superficielle)... La succession de ses œuvres correspond pourtant à la tentation des différents genres et fait alterner comique et sérieux : des parades, deux drames, deux comédies, *Le Barbier* et *Le Mariage*, *Tarare*, opéra, version « dramique » et transitoire du *Mariage* vers le troisième volet du roman de la famille Almaviva, le drame *La Mère coupable*, avec lequel il semble expier, en final, sa pente comique (sur les caractéristiques et l'histoire du drame, voir Bibliographie).

10. Dissertations pamphlétaires, mode d'expression favori

de Beaumarchais, notamment les quatre *Mémoires* contre Goez-man (1773-1774). Voir Biographie.

11. *Tarare*, auquel il travaille et qui ne sera joué qu'en 1787.

12. L'auteur de *La Correspondance littéraire secrète*, numéro du 25 février 1775.

13. Les mauvaises prédictions du critique que Beaumarchais vient de citer.

14. Journalistes. Néologisme créé pour former une anti-thèse méprisante avec « Gens de Lettres ».

15. Enfoncées dans des capuches jusqu'aux plumes qui ornent leurs coiffures, selon la mode.

16. Harmonisation de chant d'église. Dans *Candide*, de Vol-taire (chapitre VI), le héros est fessé en cadence sur une musique en faux-bourdon au cours d'un autodafé offert au peuple pour empêcher les tremblements de terre. Il est sauvé par une vieille qui lui enjoint de prendre courage, ce qu'il ne fait point.

17. En prison. Au figuré, nom vulgaire d'une atrophie du mésentère, tenant l'enfant malade comme en une prison et retardant son développement.

18. Manie d'ergoter, de chicaner (néologisme).

19. Imbroglio à la française, intrigue difficile à suivre.

20. Néologisme dérivé de « drame », sur le modèle de « comique » ou de « tragique ». Voir note 9.

21. Hispanisme de genre masculin et féminin qui donnera « résille », filet pour envelopper les cheveux. Le récit qui suit apparaîtra dans le deuxième volet de la trilogie, *Le Mariage de Figaro*. Le prince de Conti, protecteur de Beaumarchais, aurait mis ce dernier au défi de porter au théâtre cette préface du *Barbier*. Voir Préface du *Mariage*, même collection, p. 27.

22. Apprenti chirurgien.

23. Luca Gaurico (1476-1558), célèbre astrologue souvent consulté par Catherine de Médicis.

24. Réécriture parodique de la légende œdipienne. Dans *Le Mariage*, Marceline aura un moment le projet d'épouser Figaro.

25. Néologisme de Beaumarchais formé sur « fringant », décidé, vigoureux. Gratteur de guitare convaincu.

26. Étymologiquement, coupe-veine ; lancette servant pour les saignées.

27. Clystère.

28. Loges grillagées d'où les hypocrites pouvaient voir les représentations, toujours suspectes à l'Église, sans être vus.

29. Carton plié en deux, recouvert de peau ou d'étoffe, servant à conserver des papiers.

30. Du grec *podagra*, piège qui saisit l'animal par le pied; personne qui souffre de goutte au pied.

31. Intrigue mise en œuvre dans *La Mère coupable*, dernier volet de la trilogie; Beaumarchais aurait ainsi eu en tête, dès 1775, la matière du «roman de la famille Almaviva».

32. Voir Notice, p. 178.

33. Théoricien de la dramaturgie classique, dont la *Pratique du théâtre* (1657) faisait encore autorité.

34. Salle d'un théâtre où se rassemblaient les acteurs et les spectateurs (pour se chauffer).

35. Canne à poignée en forme de bec de corbeau, signe de distinction.

36. La pièce fut d'abord un opéra — Beaumarchais était lui-même musicien et professeur de harpe des filles du roi.

37. Danseurs de l'Opéra contemporains de Beaumarchais.

38. Néologisme de Beaumarchais.

39. Populairement : danser le rigaudon, ancienne danse au mouvement vif, se livrer à une joie folle.

40. Le mot, apparu en France au moment de la querelle des Bouffons (opposant les partisans de la musique italienne à ceux de la musique française, et qui éclata à l'occasion des débuts de la troupe italienne des Bouffons à Paris en 1752), désigne alors un drame parlé dont certaines scènes sont accompagnées de musique. Voisin en ce sens d'«opéra-comique», il désignera, à partir de 1788, un drame de ton populaire qui accumule des procédés pathétiques poussés à outrance et soulignés par une musique expressive. Ce sens se répandra au XIXᵉ siècle avec la vogue du genre dont le père est Pixérécourt (1773-1844), le «Corneille des boulevards».

## LE BARBIER DE SÉVILLE

1. Officier de police en Espagne.

2. Beaumarchais apporte énormément de soin au choix des costumes et aux déplacements et gestes des personnages. Le

XVIIIᵉ siècle a connu de grands progrès de mise en scène, liés aux améliorations matérielles des théâtres (en 1759, les spectateurs sont exclus de la scène, puis assis : le parterre ne piétine plus avec bruit, le théâtre devient un lieu recueilli et le public se rend attentif aux détails de la mise en scène). Cependant, le métier de metteur en scène n'existe pas encore ; c'est l'auteur qui met en représentation, avec la troupe. Diderot donne le mouvement avec *Le Père de famille* et *Le Fils naturel*, qu'il dote de nombreuses indications scéniques.

3. Grade de droit canon.

4. En tant que complice supposé de Bazile, il porte comme ce dernier une soutane s'arrêtant au genou, dite « soutanelle ». Ni Bazile ni le Comte déguisé ne figurent des prêtres, mais en tant qu'organistes ils se rattachent à l'Église, ce qui permet à Beaumarchais une satire, déguisée elle aussi, du clergé.

5. Jeune élégant. D'après un critique espagnol de l'époque cet habit serait d'une époque différente de celle à laquelle correspond l'habit porté par le Comte, ce qui renforce l'idée d'une Espagne de convention.

6. Isabelle la Catholique (1451-1504). Aspect romanesque du personnage, qui adopte ici des pratiques démodées. De plus, ce nom d'Isabelle comme celui de Lindor réfèrent à des rôles convenus de jeunes premiers de la comédie italienne ou des parades ; Beaumarchais introduit d'emblée la convention et la distance ironique dans le texte à dire.

7. Nom de jeune premier de comédie. Beaumarchais souligne ici l'effet d'illusion comique.

8. L'autobiographie qui va suivre est à rapprocher du monologue de Figaro à l'acte V, scène 3, du *Mariage*, qui pose une interrogation personnelle et sociale autrement profonde.

9. Parodie possible d'un vers de Voltaire, dont Beaumarchais est d'ailleurs l'éditeur (édition de Kehl).

10. Poèmes dédiés à la femme aimée traditionnellement nommée Chloris en poésie.

11. Mis pour les cafés, lieux de discussion et de critique, peut-être *Le Procope* en particulier, célèbre café situé en face de l'Ancienne-Comédie.

12. Délai pendant lequel on pouvait faire appel.

13. Moucherons dont la piqûre est fort incommodante. Jeu de mots possible sur le cousinage, la collusion des critiques.

14. Nom vulgaire de diverses espèces de cousins que l'on trouve surtout dans les pays chauds. Allusion possible à un des censeurs du *Barbier*, Marin, que le public de l'époque reconnaissait ici.

15. Vieux remède fébrifuge.

16. Célèbre lieu de promenade madrilène, aujourd'hui occupé par le musée national du même nom.

17. Voir note 27 de la *Lettre modérée*.

18. Invention de Beaumarchais sur le modèle des noms de régiments de l'époque tels que Royal-Français.

19. Voir note 3.

20. Opéra-comique de Lemonnier (1760).

21. Petites écuelles servant à recueillir le sang des saignées.

22. «Par l'intelligence et la main» (d'où l'expression qui précède), devise de l'Académie royale de chirurgie. L'enseigne de la boutique prend ironiquement des allures de blason.

23. Personnage nommé mais absent du *Barbier*, devenant essentiel dans *Le Mariage*. Marceline se révélera être la mère de Figaro.

24. Personnage de la mythologie doué d'une force prodigieuse et de cent yeux répartis sur tout le corps; ne dormant jamais de tous ses yeux, il fait un excellent gardien. Héra, par gratitude, sèmera les yeux de ce serviteur fidèle sur le plumage de son oiseau préféré, le paon. Au figuré, espion.

25. Celle qui a servi à faire fondre le cachet de la lettre à Lindor.

26. Médicament irritant qui, introduit dans les narines, détermine l'éternuement.

27. Au figuré et familièrement, celui qui prête à usure, vend cher ou cherche à gagner de l'argent. Cette injure appartient à une sorte d'antisémitisme ordinaire longtemps vivace, hélas!

28. À ressentir de la douleur.

29. Comme des experts, c'est-à-dire sans contestation possible.

30. «Je concède», formule en usage dans les exercices canoniques de la scolastique médiévale.

31. Cette tirade n'apparaît pas dans les premiers manuscrits, elle est ajoutée après l'affaire Goezman et constitue un des airs les plus célèbres de l'opéra de Rossini (1816).

32. «Très doucement».

33. «Doucement».

34. « En renforçant » l'attaque des notes.

35. Abréviation familière pour « Je suis votre serviteur ».

36. En cousant.

37. Air du *Déserteur*, d'après Sedaine, ami de Beaumarchais (1769).

38. « Doucement », dans un latin de fantaisie.

39. Parfums ; sens vieilli ou littéraire encore usité au Canada, où la savonnette est appelée « savon d'odeur ».

40. Eau contenant un principe volatil et tonique (*esprits*, corpuscules subtils et mobiles au Moyen Âge d'après Cicéron), utilisée pour faire revenir à soi une personne évanouie.

41. Mlle Doligny, alors interprète du rôle, refusa dès la seconde représentation d'exécuter cette ariette, par manque de moyens vocaux, dit-on. Quoi qu'il en soit, le chant était alors jugé indigne des acteurs de la Comédie-Française. Beaumarchais inséra donc dans le texte la note suivante : « Cette ariette dans le goût espagnol fut chantée le premier jour à Paris malgré les huées, les rumeurs et le train usités au parterre en ces jours de crise et de combat, la timidité de l'actrice l'a depuis empêchée d'oser la redire, et les jeunes rigoristes du théâtre l'ont fort louée de cette réticence. Mais si la dignité de la Comédie-Française y a gagné quelque chose, il faut convenir que *Le Barbier* y a beaucoup perdu. C'est pourquoi sur les théâtres où quelque peu de musique ne tirera pas tant à conséquence, nous invitons tous directeurs à la restituer, tous acteurs à la chanter, tous spectateurs à l'écouter, tous critiques à nous la pardonner en faveur du genre de la pièce et du plaisir que leur fera le morceau. »

42. « Toupiller » : tourner comme une toupie, aller çà et là.

43. « Accrocher une clef » : être arrêté par un choc. Beaumarchais joue plaisamment sur le mot voisin, « crocheteur », voleur avec effraction.

44. Bazile a la spécialité de détourner à son profit les proverbes usuels ; Beaumarchais, reprenant ce personnage dans *Le Mariage* et en faisant un allié du Comte par intérêt, soulignera son opposition à Figaro dans des duels verbaux liés à cette manie.

45. Le mariage entre Rosine et le Comte devient alors légal. Seul ce geste, très rapidement exécuté à la scène, permet de comprendre les répliques suivantes.

46. S'affranchir de la dépendance de son tuteur par le mariage.

47. Il signe à la fois l'émancipation de Rosine et la captation de ses biens. Un manuscrit ajoutait, après la réplique du Comte «Ah ' qu'il consente à tout, et je ne lui demande rien», cette réplique qui donnait plus de finesse et d'épaisseur à Bartholo : «Eh ! vous moquez-vous de moi, monsieur le Comte, avec vos dénouements de comédie ? Ne s'agit-il donc que de venir dans les maisons enlever les pupilles et laisser le bien aux tuteurs ? Il semble que nous soyons sur les planches. »

# RÉSUMÉ

*Le Barbier de Séville* est une comédie d'une franche gaieté et d'une apparente simplicité. L'intrigue se développe selon un schéma linéaire, parfaitement adapté à la situation, très conventionnelle : Rosine, « jeune personne d'extraction noble », est séquestrée par son tuteur Bartholo, médecin de son état, qui prétend l'épouser. Le comte Almaviva, « grand d'Espagne », aime Rosine, qui se sait aimée mais ne connaît pas qui l'aime. Tel est le trio de base : Rosine, enjeu de l'affrontement entre Bartholo et le comte Almaviva. Figaro, « barbier de Séville », est l'allié fidèle et efficace du Comte, tandis que Bazile, « organiste et maître à chanter de Rosine », défend, sans constance toutefois, les intérêts de Bartholo. Pour entrer en relation avec Rosine et lui faire connaître ses sentiments, le Comte doit pouvoir pénétrer cette place forte qu'est la maison de Bartholo. Deux personnages, La Jeunesse et L'Éveillé, les valets de Bartholo, sont censés monter la garde, mais Figaro, qui a déjà ses entrées dans la maison, a rapidement raison d'eux. Face à l'offensive conjointe du Comte et de Figaro, Bartholo est, en fait, très isolé. Le règlement du conflit suppose l'intervention de personnages extérieurs, comme le notaire et l'alcade, accompagné de plusieurs alguazils et valets, qui représentent la Loi, par rapport à la loi que Bartholo fait régner dans son domaine privé. Leur intervention signe la fin de l'affrontement et de la pièce.

La nature de la relation établie entre les trois personnages principaux est double, *à la fois* érotique et économique : Bartholo convoite aussi bien la fraîcheur de Rosine que ses biens, tandis que le Comte, débordant de sentiment, distribue généreusement son or — ce qui lui permet de retourner Bazile et de conquérir Rosine. En revanche, les deux comparses que sont Figaro et Bazile n'ont pas de véritable autonomie économique, et sont, aussi bien, dépourvus de désir propre ; ils se mettent au service de...

ACTE I

L'action se déroule au petit matin dans une rue de Séville, au pied de la maison de Bartholo. Une jalousie s'ouvre sur la rue.

Dans le monologue de la première scène, le Comte apprend au spectateur qu'il a quitté Madrid et sa cour pour Séville, afin de retrouver Rosine, aperçue à Madrid, et lui avouer son amour. Las des amours faciles et factices de la cour, il se déguise («en grand manteau brun et chapeau»), paradoxalement, dans le but d'être aimé pour lui-même. Le déguisement possède donc la vertu de recouvrer une identité authentique.

Dans la deuxième scène, Figaro apparaît, tandis que le Comte se cache. Figaro ébauche une chanson, parce que «ce qui ne vaut pas la peine d'être dit, on le chante». Le Comte et Figaro se reconnaissent, et ce dernier raconte l'histoire de sa vie depuis leur séparation : les principales étapes rapportées sont celles qui scanderont le fameux monologue du *Mariage de Figaro*. Le barbier, tout en persiflant gentiment, dégage une philosophie de la vie : «Et partout [se montrer] supérieur aux événements.» Un stoïcisme aimable, où la gaieté effacerait toute trace de résignation. Un personnage sans attache et sans projet, disponible. De fait, Figaro se met immédiatement au service de Son Excellence.

Le maître et son serviteur s'écartent, car Bartholo et Rosine s'installent à la fenêtre (scène 3). Bartholo maudit son siècle et dénonce tous les traits de la modernité philosophique, technique et industrielle. Ce «bourgeois» peu soucieux de progrès se révèle d'emblée soupçonneux, il veut connaître le contenu du papier que Rosine tient à la main. C'est l'occasion du premier mensonge de cette dernière, qui a soin de justifier son attitude par le malheur qui la frappe. Tous les moyens sont bons qui servent à «sortir d'esclavage». Elle laisse tomber la prétendue chanson et envoie Bartholo la ramasser en ayant prévenu entre-temps le Comte, qui s'en est emparé. Bartholo revient bredouille et ferme la jalousie à clef. Il est condamné à s'enfoncer dans l'isolement, tel un insatiable soupçonneux qui s'enferme définitivement et ne peut qu'enfermer les autres. Son projet de mariage avec Rosine, s'inscrivant dans cette logique de l'enfermement, ne saurait cependant calmer ses soupçons, puisque sa réalisation n'empêcherait pas Rosine d'être l'objet de désirs.

La scène 4, qui met en présence le Comte et Figaro, est riche de précisions dramatiques. La chanson se révèle, sans surprise, un billet dans lequel Rosine demande au Comte de lui apprendre, à travers des couplets improvisés sur l'air de *La Précaution inutile*, «son nom, son état et ses intentions». Figaro informe le Comte que Rosine n'est pas encore mariée à Bartholo, dont il dresse un portrait, au physique et au moral, peu flatteur. Le Docteur est, incontestablement, dans *Le Barbier*, le personnage le mieux marqué sur le plan psychologique, comparativement aux autres, qui obéissent à une fonction ou réalisent un type. Soupçonneux, il est voyeur, brutal, avare, d'une honnêteté chancelante et, enfin, «amoureux *et* jaloux». Peut-être même la jalousie est-elle première? Un tel portrait a pour effet immédiat de conforter l'action que le Comte s'apprête à entreprendre, aidé de Figaro : duper ce barbon de Bartholo, c'est faire œuvre de moralité et articuler le bien public («Punir un fripon…») sur le bien privé («… en se rendant heureux…»).

Bartholo est ainsi installé dans le rôle, peu enviable, de repoussoir, qui permet à Rosine et au Comte de justifier à bon compte leur comportement, et à Beaumarchais de ne pas approfondir leur différenciation psychologique. La structure est la suivante : un Bartholo bien défini parce que incongru en prétendant, et une trame comique qui s'accommode de personnages types ou de personnages fonctions parce qu'elle entre dans la normalité du désir amoureux. Bartholo est ainsi et structurellement renforcé dans l'isolement auquel il s'est lui-même condamné. L'*intrigue* a alors pour fonction de restaurer l'ordre «naturel» du désir amoureux, dans lequel le mariage de Rosine (belle, de sang noble et orpheline) et d'Almaviva (jeune, beau et riche) s'impose de toute nécessité.

Dès lors que la situation et les personnages sont campés, l'intrigue peut se dérouler. Elle commence véritablement au milieu de la scène 4 du premier acte. Beaumarchais organise un chassé-croisé d'offensives et de contre-offensives des deux camps sur la base d'un schéma actanciel réduit. Le Comte, « sujet », oriente la « flèche de son désir » sur Rosine, « objet ». Sur la course de la flèche interviennent Figaro comme « adjuvant » et Bartholo comme « opposant ». Bazile n'est pas intégré dans ce schéma car il endosse le rôle du traître : agissant d'abord dans le sens des intérêts de Bartholo, il se laisse ensuite acheter par le Comte. Son statut de traître ne vaut que par rapport à l'action mais non par rapport à lui-même ; il est, en effet, fidèle à sa nature, qui est d'être vénal.

Le résumé peut alors prendre un tour plus descriptif dans la mesure où il s'agit maintenant de rendre compte du développement de l'intrigue.

Figaro apprend au Comte qu'il a ses entrées chez Bartholo aux titres de locataire d'une part, et de barbier, chirurgien, apothicaire de l'autre. Il prend l'initiative de l'intrigue : il met au point le stratagème du cavalier ivre, venant se présenter chez Bartholo, muni d'un billet de logement ; il encourage le Comte à répondre par une chanson au billet de Rosine (le chanteur s'invente l'identité de Lindor, simple bachelier) et exige qu'il se munisse d'or, le « nerf de l'intrigue ». Il faut se hâter car le Comte et Figaro ont entendu Bartholo s'éloigner à la recherche de Bazile et annoncer son intention d'épouser sa pupille dès le lendemain.

## ACTE II

L'action de cet acte, comme de ceux qui vont suivre, a lieu à l'intérieur de la maison de Bartholo, plus précisément dans l'appartement de Rosine. Le Comte doit pouvoir y pénétrer tout à fait militairement afin de déclarer directement sa flamme à Rosine et la délivrer.

La première offensive vient du camp Rosine-le Comte-Figaro : Rosine remet à Figaro une lettre destinée à Lindor, qu'elle invite à la prudence. Figaro, dans le même temps, fait la cour à Rosine pour le compte de Lindor, qu'il présente comme un parent — il ne manque pas de zèle dans cet emploi !

Figaro se cache dans le cabinet attenant, qu'il est supposé traverser pour s'échapper et qui constitue un excellent poste d'observation, car Bartholo revient, très en colère. N'a-t-il pas constaté que Figaro avait profité de son absence pour droguer L'Éveillé et La Jeunesse, saigner Marceline (nommée mais jamais présente sur scène)... et poser un cataplasme sur les yeux de la mule. Sa méfiance n'épargne plus personne, il veut barricader la maison. Sur son insistance, Rosine lui avoue avoir reçu la visite de Figaro. Les deux scènes suivantes, 6 et 7, sont de pures scènes de farce qui montrent les deux valets de Bartholo en piètre état. Bazile entre en scène et apprend à Bartholo la nouvelle : le Comte Almaviva, « celui qui faisait chercher Rosine dans tout Madrid », est à Séville, et sort tous les jours, déguisé. Bazile lui enseigne le meilleur moyen de se débarrasser d'un ennemi sans se compromettre, la calomnie, lui rappelle qu'il ne doit pas lésiner sur les moyens pour faire aboutir son projet de mariage et lui extorque une bourse supplémentaire. Bartholo n'a d'autre allié que celui qu'il peut payer. Sur ce terrain, il ne pourra rivaliser avec le Comte !

Figaro révèle à Rosine le projet de son tuteur, mais lui promet son aide. Au retour de Bartholo, qui a raccompagné Bazile pour fermer la porte derrière lui, il s'enfuit. Bartholo, maladivement soupçonneux mais perspicace, confond Rosine, grâce aux traces de bougie qu'elle a sur les doigts et à la feuille de papier manquante (occasion d'une allusion à la petite Figaro), autant d'indices de l'écriture d'une lettre. Sur quoi surgit Almaviva en cavalier ivre, qui parvient à donner sa lettre à Rosine, sous les yeux de Bartholo. Après le départ du cavalier, Bartholo n'y tient plus et veut connaître la teneur du message. Rosine s'en sort en substituant au billet la lettre de son cousin l'Officier : elle fait semblant de s'évanouir et laisse échapper la lettre de son cousin, que Bartholo, tout en s'affairant auprès d'elle, ne peut s'empêcher de lire. Rosine peut alors revenir de son évanouissement et lui proposer la lettre. Bartholo se donne le beau rôle de refuser ; il reste qu'il a été joué.

Cette dernière scène est typique de la forme que donne

Beaumarchais à l'intrigue : initiative de l'un des protagonistes, réponse immédiate de son adversaire. C'est à partir de ce principe que se distribue le savoir. Ici, Rosine triomphe, car Bartholo ne sait pas qu'elle a dissimulé la lettre du Comte et l'a remplacée par celle du cousin (premier niveau) et ne sait pas qu'elle sait (à l'occasion de son faux évanouissement) qu'il sait que c'est la lettre du cousin (second niveau, affiné). Si bien que lorsqu'il se donne, au final, l'allure de la magnanimité, il est confondu. Dans l'art de l'intrigue, il ne suffit pas de savoir, il faut, de plus, savoir ce que l'autre sait ou croit savoir.

ACTE III

La partie engagée entre Bartholo et le Comte se poursuit, toujours à l'intérieur de la maison du Docteur. Almaviva s'y présente sous le nom d'Alonzo, «bachelier, licencié de son état», élève de Bazile, qu'il remplace car celui-ci a prétendument dû garder la chambre. Comme de juste, Bartholo est soupçonneux, et son premier mouvement est de congédier Alonzo : tout ce qui vient de l'extérieur est, pour lui, une menace. Alonzo endort, cependant, sa méfiance en lui apprenant que le Comte a quitté Séville et en lui faisant lire la lettre de Rosine. Il faudra, suggère-t-il, la montrer à Rosine, au moment opportun, en lui racontant qu'elle a été transmise par une femme dont Almaviva s'est épris. De dépit, Rosine ne devrait plus opposer de résistance à son mariage avec Bartholo. Celui-ci, du même coup, insiste pour qu'Alonzo donne à Rosine une leçon de chant. La jeune femme refuse, croyant avoir affaire à un suppôt de Bazile, et passe, involontairement et très provisoirement, dans le camp adverse. Elle reconnaît enfin Lindor sous le déguisement d'Alonzo. Surprise, elle pousse un cri, qu'elle met sur le compte d'une entorse. Devant son malaise, Bartholo décide, à son tour, de repousser la leçon. Rosine jure qu'elle veut finalement, pour lui complaire, prendre cette leçon — leçon qui se donnera pour finir en présence de Bartholo. Selon le principe posé au début de la pièce par Figaro, c'est à nouveau la chanson *La Précaution inutile* qui va permettre de communiquer «ce qui ne peut être dit»; Rosine et Lindor peuvent même échanger des baisers lorsque

Bartholo s'assoupit. Il reste que le Comte n'a pas trouvé le temps de prévenir Rosine de la lettre donnée à son tuteur. Figaro intervient et cherche à éloigner Bartholo en lui proposant de le raser. Mais ce dernier refuse, car la présence de Figaro a fait renaître ses soupçons. Il se fera raser ici même et, après hésitations, Figaro est envoyé quérir le nécessaire de toilette et en profite pour subtiliser la clef de la jalousie. Bazile survient alors, qui met en danger Alonzo. C'est la fameuse «scène de stupéfaction», dans laquelle chacun interpelle l'autre *à part*; le Comte, utilisant l'argument décisif de l'or, précipite le départ de Bazile. Alors que Figaro le rase, Bartholo se rend compte qu'il a été trompé. À la limite de la rage meurtrière, il est près de sombrer dans la folie. Du «il est fou!» au «je suis fou?»

ACTE IV

L'action se déroule encore à l'intérieur de la maison de Bartholo, mais Beaumarchais précise que «le théâtre est obscur». La nuit est venue. Ce sont donc les personnages eux-mêmes qui s'éclairent. L'acte est court et ne comprend que huit scènes. L'intrigue se précipite vers son aboutissement car chacun des deux camps a désormais la possibilité de conclure. Pour triompher, il faut à tout prix prendre l'autre de vitesse. L'enjeu est de signer le mariage devant un notaire, personnage neutre ignorant tout de l'intrigue.

Dans la première scène, Bazile explique sans fard à Bartholo la raison de son attitude lors de la «scène de stupéfaction»: il a été acheté. Vu la «magnificence du présent», il croit pouvoir identifier le Comte lui-même sous le déguisement d'Alonzo. Sur le même mode de la froide objectivité, il met en évidence les limites de l'action de Bartholo, qui peut, sans doute, réussir à épouser Rosine, mais moins certainement s'en faire aimer («En toute espèce de biens, posséder est peu de chose; c'est jouir qui rend heureux»). Par là, il signe l'échec de Bartholo, mais sa fonction est de servir... le plus offrant. Il recommande donc à Bartholo d'utiliser la lettre qui lui a été remise par Alonzo comme arme de la calomnie auprès de Rosine, et lui apprend que Figaro a retenu le notaire pour marier une prétendue nièce. Il faut prendre l'autre camp de vitesse, Bazile se précipite, muni du passe-partout de la maison, chez le notaire.

Bartholo applique, dans la scène suivante, les principes énoncés par Bazile : Lindor n'est qu'un agent du Comte «corrupteur», révèle-t-il à Rosine. De dépit, cette dernière consent à l'épouser et lui apprend le projet d'enlèvement mis au point par Lindor et Figaro, qui a dérobé la clef de la jalousie. Bartholo s'éloigne, sûr de sa victoire. Le Comte et Figaro surgissent, inquiets. Figaro allume toutes les bougies posées sur la table, et la lumière révèle la présence de Rosine. Devant l'indignation de Rosine, le Comte se dévoile et Rosine tombe dans ses bras. Elle aimait Lindor, avant de croire à son forfait, mais lorsqu'il est le Comte elle aime à nouveau Lindor. L'identité est pour le moins chancelante. Le Comte prétend être aimé pour lui-même, mais qui est-il ? Lindor n'est aimable que parce qu'il est le Comte et, après tout, c'est le Comte qui convainc Rosine de l'épouser. C'est, sans doute, qu'il est impossible de troquer son identité sociale ! Il reste à officialiser le mariage : la fuite est impossible, l'échelle a été retirée. Bazile arrive avec le notaire, en serviteur zélé et efficace de Bartholo. Le notaire a préparé deux contrats de mariage, celui qui unit le Comte à Rosine et celui qui lie la même à Bartholo. Qu'à cela ne tienne, il suffit que le Comte achète Bazile pour qu'il accepte de signer comme second témoin. Le mariage est conclu. Bartholo arrive en compagnie de l'alcade, des alguazils et de serviteurs. Trop tard, il a perdu. La loi de l'alcade vaut contre sa loi, il doit s'incliner. L'ordre «naturel» du désir amoureux, un instant perturbé par la «folie» de Bartholo, est rétabli. Il est d'ailleurs, cet ordre naturel, bien conforme à l'ordre établi : «Mademoiselle est noble et belle ; je suis homme de qualité, jeune et riche ; elle est ma femme ; à ce titre qui nous honore également, prétend-on me la disputer ?» Parole de Comte, s'il en est. Bartholo est ainsi rendu à sa condition, qui est de «posséder» et non de «jouir» : il est acquitté d'avance de la mauvaise gestion des biens de sa pupille, tandis que le Comte consent à payer la quittance de cent écus de Figaro. Tout est en ordre !

# DU MÊME AUTEUR

*Dans la même collection*

LE MARIAGE DE FIGARO. *Édition de Françoise Bagot et Michel Kail.*

*Dans la collection Folio classique*

*Éditions collectives*

LE BARBIER DE SÉVILLE, *suivi de* JEAN BÊTE À LA FOIRE. *Édition de Jacques Scherer.*

LE MARIAGE DE FIGARO. LA MÈRE COUPABLE. *Édition de Pierre Larthomas.*

*Édition isolée*

LE MARIAGE DE FIGARO. *Édition de Pierre Larthomas.*

*Composition Interligne.*
*Impression Bussière*
*à Saint-Amand (Cher), le 5 mai 2007.*
*Dépôt légal : mai 2007.*
*1ᵉʳ dépôt légal dans la collection : février 1996.*
*Numéro d'imprimeur : 071764/1.*

ISBN 978-2-07-040003-4./Imprimé en France.

153072